HSK Coursebook

HSK 规范教程

（第二版）

by Wang Xun

王琕 编著

First Edition 2015
Second Edition 2016
Third Printing 2018

ISBN 978-7-5138-0792-0

Published by Sinolingua Co., Ltd
24 Baiwanzhuang Road, Beijing 100037, China
Tel: (86)10-68320585, 68997826
Fax: (86)10-68997826, 68326333
http://www.sinolingua.com.cn
E-mail: hyjx@sinolingua.com.cn
Facebook: www.facebook.com/sinolingua
Printed by Beijing Jinghua hucais Printing Co., Ltd

Printed in the People's Republic of China

Preface

Throughout the years of teaching Chinese to non-native learners, we have tried our best to find a way to enable students to spend less time improving their Chinese verbal communication abilities so as to help them to quickly adjust to their lives in China.

After having created a 400-hour course with 40 situational dialogues containing 1000 characters, we have set up the *You Can Speak Chinese* (YCSC) Language Center (www.youcanspeakchinese.cn). Eight years on, we have kept trying to find an even better way to help students, and now we finished compiling this series of books. We believe it will be a useful tool for those who are teaching or learning Chinese.

This series contains six levels. There is one book for levels 1—4, while level 5 is covered by two books and level 6 is covered by three books. The series is compiled based on the vocabulary of the HSK. All question types from the HSK are included in the exercises provided in the books. As well, the examination paper at the end of each level is an HSK mock test. Therefore, by focusing on communicative abilities, the series also prepares learners to take the HSK through such exercises and mock tests.

The YCSC teaching method provides basic language skills which are both useful and practical. The suggested teaching plan for each lesson (1 class hour) in level 1 has been provided at the end of the book. The suggested teaching plans for each lesson in levels 2—6 follow a similar teaching method as outlined in level 1. This series of books requires around 1000 teaching hours:

Level	Hours	Level	Hours	Level	Hours
1	40	2	60	3	100
4	150	5	250	6	400

The level 1 and 2 books will foster students' interest in speaking Chinese while simultaneously teaching them to read Chinese characters. The level 3 and 4 books focus on character recognition and reading, and conversational topics. Depending on the interests of the students, character writing may also be taught. The level 5 and 6 books will enhance students' abilities to express their ideas in Chinese. For the level 1-4 books we have provided English explanations of new words, not es on characters and exercise instructions. The level 5 books only contain English explanations for new words, while the level 6 books are only in Chinese.

I would like to thank Professor Zhang Pengpeng, the author of The Most Common Chinese Radicals and Radical Literacy in Chinese for inspiring me to improve my teaching method of Chinese characters through Chinese language sentences. In addition, I would like to thank Callan School London where I learned the "question and answer practice" method, whereby the teacher asks questions twice in rapid succession and pushes the students to answer quickly. In this method, new words must always be included, and the teacher can change or adjust the questions according to the knowledge levels of the class and the students.

We are always grateful for any of your suggestions and advice. Please send them to youcanspeakchinese@foxmail.com.

前言

在多年的对外汉语教学工作中，我们尽力去寻找一种方法，可以让学生用尽可能少的时间快速掌握尽可能强的汉语应用能力，去适应中国的日常生活。

在创建了 400 小时口语课程（40 个情景对话，1000 个汉字认读）的同时，我们建立了玩转汉语（YCSC）中心（www.youcanspeakchinese.cn）；八年之后，我们想尝试找到更有益的学习方法，于是，我们编写了这套教材并进行了教学实践。希望这套教材能对学生有所帮助。

这套教材共有 6 级，1～4 级为单本，5 级分上、下册，6 级分上、中、下册。教材完全根据 HSK 考试大纲的词汇编写，1～6 级的每课课后练习及 5～6 级的单元练习包括了 HSK 考试对应级别的所有题型。每级附一套模拟 HSK 试题。学生学完对应教材，不但可以掌握口语交际能力，还可以直接参加 HSK 考试。

“YCSC”教学核心方法是：提供基本、实用、必不可少的语言练习。本套教材的 1 级书后详细记录了每课时（1 小时）的具体教学安排。2～6 级的课程安排和 1 级方法相似。这套书授课时间大约在 1000 小时，具体分配如下：

级别	小时数	级别	小时数	级别	小时数
1	40	2	60	3	100
4	150	5	250	6	400

1～2 级课本会使学生在爱上汉语口语的同时学习汉字认读；3～4 级课本的重点是汉字认读和口语话题，如果学生感兴趣，可教他们汉字书写；5～6 级课本将提高学生用汉语表达思想的能力。1～4 级课本中的词汇释义、汉字讲解、练习标题等部分使用英文标注，5 级课本中的英文只用来解释词汇，6 级课本为纯汉语环境。

在此，我想感谢张朋朋教授，他编写的《常用汉字部首》和《集中识字》完善了我的

“在句子中教汉字”的方法。另外，我还想感谢伦敦的 CALLAN 英语学校，在那里，我学会了“快速问答”教学法：老师快速提问两遍，带着学生快速回答问题。老师可以根据课堂情景和学生情况调整或改变问句，但一定要包含所练习的生词。

如果您对本书有任何意见和建议，请发邮件到 youcanspeakchinese@foxmail.com。我期待着……

目 录

Phonetics

I. Initials

b	p	m	f	d	t	n	l	g	k	h
j	q	x	z	c	s	zh	ch	sh	r	

II. Finals

a	o	e	i	u	ü	ai	ei	ao	ou	er
an	en	in	ang	eng	ing	ong	ia	ie	iao	iu
ua	uo	uai	ui	un	ian	uan	iang	iong	uang	ueng
üe	üan	ün								

III. Notes

j: is similar to "jee" in "jeep".

q: is similar to "chee" in "cheese".

x: is similar to "shee" in "sheet".

z: is similar to "ds" in "beds".

c: is similar to "ts" in "cats".

s: is similar to "s" in "hens".

zh: is similar to "j" in "job".

ch: is similar to "ch" in "chair".

sh: is similar to "sh" in "fish".

r: is similar to "r" in "rain".

e: is similar to "er" in "her" (English accent).

ü: no English equivalent.

ie: is similar to "ye" in "yes".

er: is similar to "er" in "sister" (American accent).

IV. Pronunciation

The pronunciation of almost all Chinese characters is a combination of initials and finals.

Example: b+a=ba n+e=ne j+ia=jia r+ang=rang sh+uai=shuai

1. Tones

The Chinese language is based on tones. It has four basic tones: the first tone (ˉ) is a flat high tone, the second tone (ˊ) moves from low to high, the third tone (ˇ) moves down low from high and rises high again, and the fourth tone (ˋ) moves from high to low.

In putonghua, some finals are pronounced both light and short; such a tone is called the neutral tone.

Example: mā, má, mǎ, mà, ma.

Where are the indication of tones placed?

(1) If there is "a", the tone indicator is written on top of "a" .

(2) Without "a", the tone indicator is written on top of "o" or "e".

(3) If there are both "i" and "u", the tone indicator is written on top of the latter.

(4) If the final is just one letter, the tone indicator will appear on that letter.

2. Change of tones

A third tone, when immediately followed by another third tone, should be pronounced as a second tone.

Example: nǐ hǎo⇒ní hǎo

3. Change of tones of 不(bù) and 一(yī)

不(bù) and 一(yī) will be pronounced in the second tone if immediately followed by a fourth tone or a neutral tone.

不(bù) and 一(yī) will be pronounced in the fourth tone if immediately followed by a first tone, second tone or third tone.

Example: bú xiè bú shì bù xīn bù lái bù hǎo
yí kuài yí ge yì tiān yì nián yìqǐ

4. Retroflex final with -r

"er" is often added to another final to make it a retroflex. The retroflex final is transcribed by adding "r" to the original final.

Example: wánr huār

5. The dividing mark

When a syllable beginning with a, o or e is attached to another syllable, it is desirable to use the dividing mark ' to clarify the boundary between the two syllables.

Example: nǚ'ér

6. Notes on spelling

zi ci si	=	z c s
zhi chi shi	=	zh ch sh
ju jue juan jun	=	jü jüe jüan jün
qu que quan qun	=	qü qüe qüan qün
xu xue xuan xun	=	xü xüe xüan xün
yu yue yuan yun	=	ü üe üan ün
ya ye yao you	=	ia ie iao iou
yi yan yin ying yang	=	i ian in ing iang
yong	=	iong
wu wa wo wai wei	=	u ua uo uai uei
wan wen wang weng	=	uan uen uang ueng

Characters

I. Strokes

Although there are many Chinese characters, there are only about 20 kinds of strokes used to create them. Among these however, it is only necessary to learn the following eight strokes, and to view the others as their variants.

一 (héng 横, horizontal)	丨 (shù 竖, vertical)	丿 (piě 撇, left-falling)
㇏ (nà 捺, right-falling)	㇕ (zhé 折, turning)	亅乚乙 (gōu 钩, hook)
丶 (diǎn 点, dot)	㇀ (tí 提, rising)	

II. The structure of characters

Structurally Chinese characters can be classified into two groups: one-component characters and combined characters.

1. One-component characters have only one basic part and cannot be subdivided. They can be further categorized into pictograms and indicative characters.

(1) Pictograms

Pictograms represent the objects they refer to in stylized forms:

rén 人 person　　mù 木 tree　　kǒu 口 mouth　　rì 日 sun　　yuè 月 moon

(2) Indicative characters

The combination of strokes can show an abstract meaning:

shàng 上 above　　zhōng 中 among　　xià 下 under

2. Combined characters are composed of two or more parts and can be further categorized into associative compounds and phono-semantic compounds.

(1) Associative compounds

Associative characters are formed through the combination of two or more meaningful components to create a new character with a new meaning.

rì 日 sun+ yuè 月 moon = míng 明 bright　　xiǎo 小 small+ tǔ 土 soil = chén 尘 dust

(2) Phono-semantic compounds

Phono-semantic compounds are compound characters with one component indicating its meaning (semantic), and the other indicating its pronunciation (phonetic):

nǚ 女 woman, semantic part + mǎ 马 horse, phonetic part = mā 妈 mother

III. Radicals

In the index of Chinese dictionaries the characters are also arranged according to different categories of components, or radicals, that form part, or all, of their structure. Thus, teaching the characters through the radicals makes it easier to analyze the structure and meaning of phono-semantic compounds and associative compounds.

Examples: radical kǒu 口: hē 喝 chàng 唱 jiào 叫 chī 吃 hǎn 喊 tīng 听

radical rén 人: cóng 从 zhòng 众 gè 个 hé 合 jiè 介

The most commonly used radicals are introduced in the first two books of this series; a list of radicals is attached at the end of the book.

IV. Recognizing Chinese Characters

Apart from the basic character knowledge provided, the book offers explanations for certain characters to help learners relate the radicals and the structure of characters to their meanings; these explanations are always headed by the title Memory Aid throughout the textbook. Some memory aids are based on the origin and evolution of the characters, while some are clues summarized by the compiler, characters with such memory aids are marked with an asterisk (*).

Lesson One Hello!

I. New words

- nǐ 你 you
- hǎo 好 good, well
- nǐ hǎo 你好 hello
- jiào 叫 to call
- shénme 什么 what
- míngzi 名字 name
- wǒ 我 I, me
- qián 钱 (surname), money
- yī 一 one
- ma 吗 (for question)
- hěn 很 very
- xièxie 谢谢 thanks
- bú kèqi 不客气 you are welcome
- qù 去 to go
- nǎr 哪儿 where
- shāngdiàn 商店 shop
- ne 呢 (for question)
- yīyuàn 医院 hospital
- gōngzuò 工作 to work
- zàijiàn 再见 goodbye
- bù 不 not

II. Dialogue

Nǐ hǎo!
A：你好！

Nǐ hǎo!
B：你好！

Nǐ jiào shénme míngzi?
A：你叫什么名字？

Wǒ jiào Qián Yī. Nǐ hǎo ma?
B：我叫钱一。你好吗？

Wǒ hěn hǎo, xièxie.
A：我很好，谢谢。

Bú kèqi. Nǐ qù nǎr?
B：不客气。你去哪儿？

Wǒ qù shāngdiàn, nǐ ne?
A：我去商店，你呢？

Wǒ qù yīyuàn gōngzuò. Zàijiàn.
B：我去医院工作。再见。

Zàijiàn.
A：再见。

III. Question and answer practice

Nǐ hǎo!
你好！

Nǐ hǎo!
你好！

Nǐ hǎo ma?
你好吗？

Wǒ hěn hǎo! / Wǒ bù hǎo!
我很好！/我不好！

Wǒ hěn hǎo, nǐ hǎo bu hǎo?
我很好，你好不好？

Wǒ hěn hǎo! / Wǒ bù hǎo.
我很好！/我不好。

Nǐ jiào shénme míngzi?
你叫什么名字？

Wǒ jiào …
我叫……

Nǐ bú jiào Qián Yī ma?
你不叫钱一吗？

Wǒ jiào Qián Yī. / Wǒ bú jiào Qián Yī.
我叫钱一。/我不叫钱一。

Wǒ jiào Qián Yī, nǐ ne?
我叫钱一，你呢？

Wǒ jiào …
我叫……

Shāngdiàn jiào shénme míngzi?
商 店 叫 什么 名字？

Shāngdiàn jiào …
商 店 叫……

Yīyuàn jiào shénme míngzi?
医院 叫 什么 名字？

Yīyuàn jiào …
医院 叫……

Nǐ qù nǎr ?
你去哪儿？

Wǒ qù …
我去……

Nǐ qù yīyuàn ma?
你 去 医院 吗？

Wǒ qù yīyuàn. / Wǒ bú qù yīyuàn.
我 去 医院。/ 我 不 去 医院。

Wǒ qù yīyuàn; nǐ qù bu qù?
我 去 医院，你 去 不 去？

Wǒ qù yīyuàn. / Wǒ bú qù yīyuàn.
我 去 医院。/ 我 不去 医院。

Nǐ qù shāngdiàn ma?
你 去 商 店 吗？

Wǒ qù shāngdiàn. / Wǒ bú qù shāngdiàn.
我 去 商 店。/ 我 不 去 商 店。

Wǒ bú qù shāngdiàn, nǐ ne?
我 不 去 商 店，你呢？

Wǒ qù shāngdiàn. / Wǒ bú qù shāngdiàn.
我 去 商 店。/ 我 不 去 商 店。

Nǐ bú qù gōngzuò ma?
你 不 去 工 作 吗？

Wǒ qù gōngzuò. / Wǒ bú qù gōngzuò.
我 去 工 作。/ 我 不 去 工 作。

Xièxie!
谢谢！

Bú kèqi!
不 客气！

Zàijiàn!
再见！

Zàijiàn!
再见！

IV. Notes

Question word 吗 (ma)

An interrogative sentence is formed by adding the modal particle 吗 (ma) at the end of a declarative sentence.

Example:
Nǐ hǎo ma?
你 好 吗？
Nǐ qù shāngdiàn ma?
你去 商 店 吗？

V. Phonetic drills

1. Discrimination of sounds

bā pā dā tā gòu kòu bái pái dào tào gǎi kǎi

2. Read the following words with neutral tones

bái de nàme jiějie péngyou dìdi wǒmen

3. Read the following words: 1st tone+1st tone

jīntiān yīshēng fēijī fēnzhōng gōngsī
yīnggāi kāixīn gōngjīn xīngqī chūzū

VI. Characters

nǐ 你	hǎo 好	jiào 叫	shén 什	me 么	míng 名	zì 字
wǒ 我	qián 钱	yī 一	ma 吗	hěn 很	xiè 谢	bù 不
kè 客	qì 气	qù 去	nǎ 哪	ér 儿	shāng 商	diàn 店
ne 呢	yī 医	yuàn 院	gōng 工	zuò 作	zài 再	jiàn 见

nǐ
你 : you

亻 evolved from 人 (rén). Characters with the radical 亻 mostly relate to the activities of human beings. 尔 (ěr) meant "you" in ancient time. 你 (nǐ) is a personal pronoun.

hǎo
好 : good

Most characters with the radical 女 (nǚ) relate to the female sex. 子 (zǐ) means a child.

Memory Aid: In ancient times, as today, a mother with a child was seen as something good.

jiào
叫 : to call

Characters with the radical 口 (kǒu) relate to the mouth.

Memory Aid: People call others using their mouths.

míng
名 :* name

Some characters with the radical 夕 (xī) relate to the night. 口 (kǒu) means mouth.

Memory Aid: To greet and recognize someone at night, one must open one's mouth and call the person's name, because one cannot see the other person clearly.

zì
字 : character/word

Characters with the radical 宀 relate to houses and rooms. 子 (zǐ) is the phonetic component.

qián
钱 : money

钅 evolved from 金 (jīn), characters with the radical 钅 relate to metal.

ma
吗 : (question word)
kǒu mǎ
口 relates to the mouth. 马 is the phonetic component.

Memory Aid: When asking a question, one uses one's mouth.

xiè
谢 : to thank
yán
讠 is a variant of 言 . Characters with the radical 讠 relate to language.

Memory Aid: When saying thanks, one must use a language.

kè
客 : guest

gè
Characters with the radical 宀 relate to houses and rooms. 各 is the phonetic component.

nǎ
哪 :* which

kǒu
Characters with the radical 口 relate to the mouth.

Memory Aid: When asking which book to take, it is necessary to use the mouth.

diàn
店 : shop

guǎng
Characters with the radical 广 relate to vastness or space occupied.

Memory Aid: A shop occupies a space.

ne
呢 : (question word)
kǒu ní
口 relates to the mouth. 尼 is the phonetic component.

yuàn
院 : courtyard

wán
Characters with the radical 阝 on the left side relate to a hill or terrain. 完 is the phonetic component.

Memory Aid: A courtyard is a flat terrain.

zuò
作 : to write; to work
rén
亻 evolved from 人 , characters with the radical 亻 mostly relate to human beings and their attributes.

VII. Exercises

1. Listening Comprehension

(1) Listen to the recording and decide whether the situations in the pictures below are correct or incorrect. If they are correct, please mark them with a check. If they are incorrect, please mark them with an X.

①		✓
②		X

(2) Listen to the recording and check the correct answer for each statement.

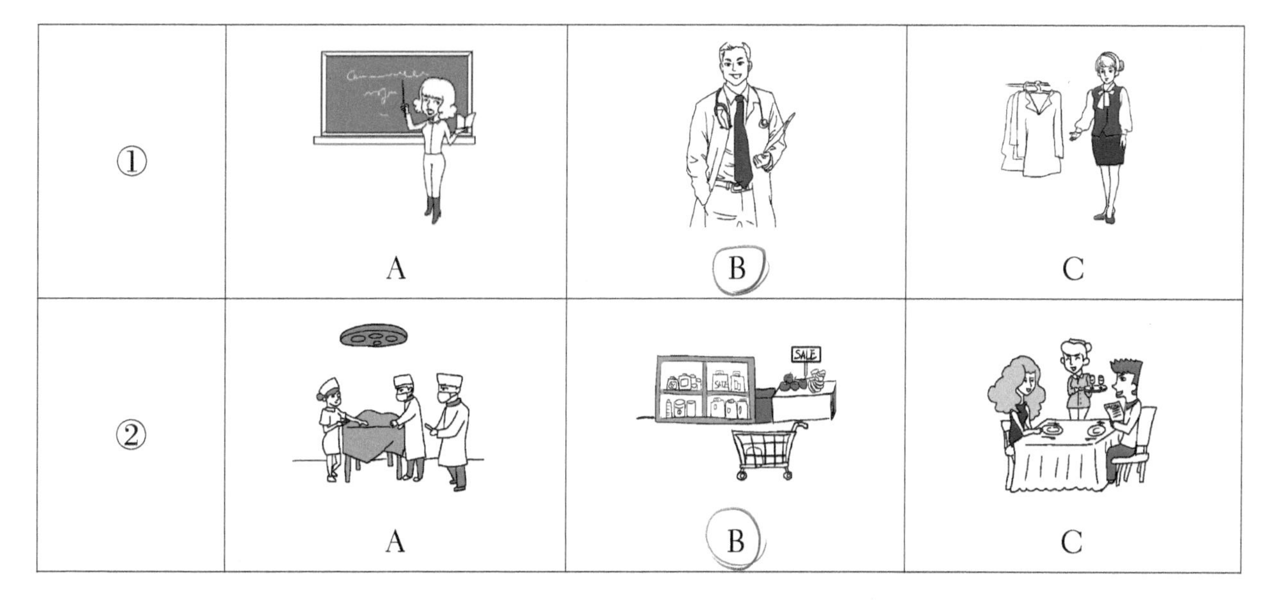

①	A	(B)	C
②	A	(B)	C

(3) Listen to the recording and fill in A or B for each question.

① A

② B

(4) Listen to the recording and check the correct answer in each group.

① (A) shāngdiàn 商店　　B yīyuàn 医院

② A Qián Diàn 钱店　　(B) Qián Yī 钱一

2. *Reading Comprehension*

(1) Read and decide whether the situations in the pictures below are correct or incorrect. If they are correct, please mark them with a check. If they are incorrect, please mark them with an X.

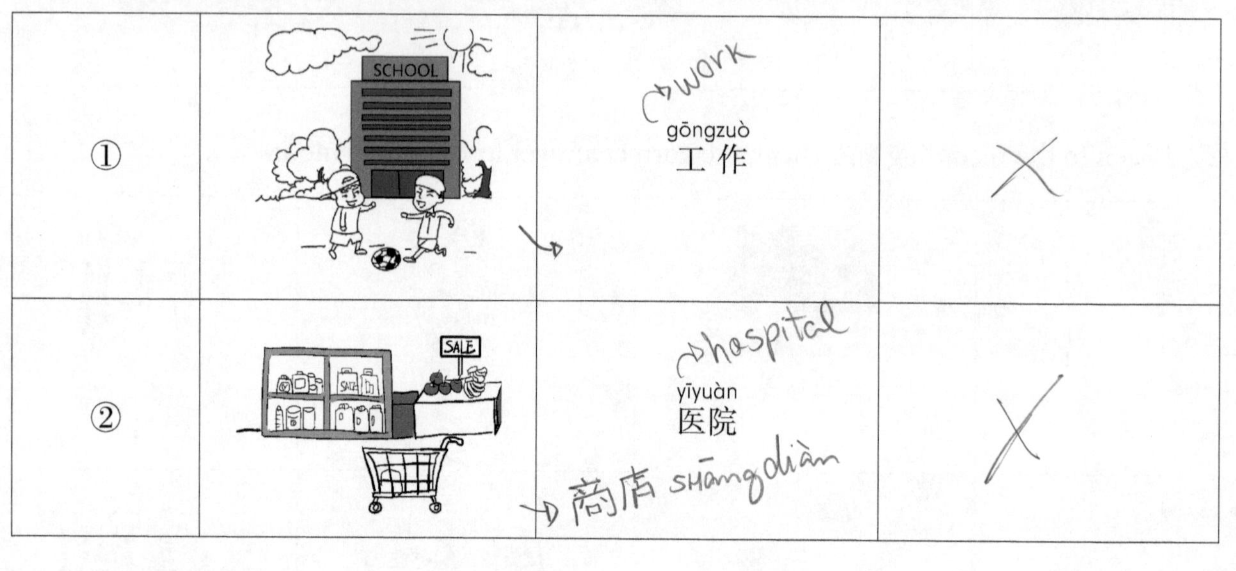

①	SCHOOL	work gōngzuò 工作	X
②	SALE	hospital yīyuàn 医院 商店 shāngdiàn	X

(2) Read the following statements and fill in A or B for each sentence.

A　　B

① Nǐ hǎo! Nǐ jiào shénme míngzi?
你好！你叫什么名字？　B

Wǒ qù shāngdiàn gōngzuò.
② 我去商店工作。 A

(3) Read and fill in A or B to complete the dialogues.

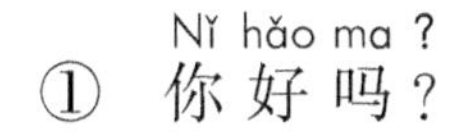

Nǐ hǎo ma?
① 你好吗？ 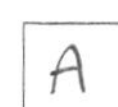

Nǐ qù nǎr?
② 你去哪儿？ 

Wǒ hěn hǎo!
A 我很好！

Yīyuàn.
B 医院。

(4) Read and fill in A or B to complete the sentences.

gōngzuò
A 工作

xièxie
B 谢谢

nǐ qù ma?
① 你去（ A ）吗？

nǐ!
② （ B ）你！

3. *Read the characters and then the dialogue.*

你 好 叫 什 么 名 字 我 钱 一
吗 很 谢 不 客 气 去 哪 儿 商
店 呢 医 院 工 作 再 见

A：你好！我叫钱一。你呢？ nǐ hǎo! wǒ jiào qián yī. nǐ ne?

B：我叫钱好，我去医院，你去哪儿？ wǒ jiào qián hǎo, wǒ qù yīyuàn. nǐ qù nǎ'r?

A：我去商店，我去工作。

B：商店叫什么名字？

A：商店叫“你很好”。你去商店吗？

B：我不去商店，谢谢。

A：不客气。

B：再见。

A：再见。

Lesson Two Where are you from?

I. New words

nǎ 哪 which
Zhōngguó 中国 China
Běijīng 北京 Beijing
shì 是 to be
rén 人 person, people
jiā 家 home
yǒu 有 to have; there is/are
jǐ 几 how many; several
sān 三 three
bàba 爸爸 father
māma 妈妈 mother
hé 和 and
māo 猫 cat
gǒu 狗 dog
méiyǒu 没有 have not; there isn't/aren't
sì 四 four

Supplementary words

guó 国 country
kǒu 口 (measure word)
jiārén 家人 family people

II. Dialogue

Nǐ shì nǎ guó rén?
A: 你是哪国人?

Wǒ shì Zhōngguórén.
B: 我是中国人。

Nǐ shì Zhōngguó nǎr rén?
A: 你是中国哪儿人?

Wǒ shì Běijīngrén.
B: 我是北京人。

Nǐ jiā yǒu jǐ kǒu rén?
A: 你家有几口人?

Wǒ jiā yǒu sān kǒu rén, bàba, māma hé wǒ.
B: 我家有三口人，爸爸、妈妈和我。

Nǐ jiā yǒu māo hé gǒu ma?
A: 你家有猫和狗吗?

Wǒ jiā yǒu gǒu, méiyǒu māo.
B: 我家有狗，没有猫。

III. Question and answer practice

Nǐ shì Qián Yī ma?
你是钱一吗?

Wǒ shì Qián Yī. / Wǒ bú shì Qián Yī.
我是钱一。/我不是钱一。

Nǐ shì Zhōngguórén ma?
你是中国人吗?

Wǒ shì Zhōngguórén. / Wǒ bú shì Zhōngguórén.
我是中国人。/我不是中国人。

Nǐ shì Nǎ guó rén?
你是哪国人?

Wǒ shì …
我是……

Nǐ shì Běijīngrén ma?
你是北京人吗?

Wǒ shì Běijīngrén. / Wǒ bú shì Běijīngrén.
我是北京人。/我不是北京人。

Nǐ shì Zhōngguó nǎr rén?
你是中国哪儿人?

Wǒ shì …
我是……

Nǐ jiā yǒu jǐ kǒu rén?
你家有几口人?

Wǒ jiā yǒu …
我家有……

Wǒ jiā yǒu sān kǒu rén， nǐ jiā ne？
我家有 三 口 人，你家呢？

Wǒ jiā yǒu …
我 家 有……

Nǐ jiā yǒu shénme rén？
你家 有 什 么 人？

Wǒ jiā yǒu …
我 家 有……

Nǐ qù wǒ jiā ma？
你去 我 家吗？

Wǒ qù nǐ jiā . / Wǒ bú qù nǐ jiā .
我 去你家。/ 我 不 去 你家。

Nǐ jiā méiyǒu rén ma？
你家 没有 人 吗？

Wǒ jiā méiyǒu rén . / Wǒ jiā yǒu rén .
我 家 没有 人。/ 我 家 有 人。

Nǐ māma shì nǎ guó rén ？
你 妈妈 是 哪 国 人？

Wǒ māma shì rén .
我 妈妈 是…… 人。

Nǐ bàba qù shāngdiàn ma？
你爸爸去 商 店 吗？

Wǒ bàba qù shāngdiàn . / Wǒ bàba bú qù shāngdiàn .
我 爸爸去 商 店。/ 我爸爸不去 商 店。

Nǐ māma qù yīyuàn ma？
你妈妈 去 医院 吗？

Wǒ māma qù yīyuàn . / Wǒ māma bú qù yīyuàn .
我 妈妈 去 医院。/ 我 妈妈 不 去 医院。

Nǐ hé jiārén qù nǎr ？
你和家人去哪儿？

Wǒ hé jiārén qù …
我和家人去……

Nǐ bàba hé nǐ māma hǎo ma？
你爸爸和你妈妈 好 吗？

Wǒ bàba hé wǒ māma …
我爸爸和 我 妈妈……

Nǐ jiā yǒu māo ma？
你家 有 猫 吗？

Wǒ jiā yǒu māo . / Wǒ jiā méiyǒu māo .
我 家 有 猫 。/ 我 家 没有 猫 。

Nǐ jiā méiyǒu gǒu ma？
你家没有 狗 吗？

Wǒ jiā méiyǒu gǒu . / Wǒ jiā yǒu gǒu .
我 家 没有 狗。/ 我 家 有 狗。

IV. Notes

1. yǒu 有

(1) there is, there are

Example: Nǐ jiā yǒu jǐ kǒu rén？ 你家有几口人？

(2) have, has

Example: Wǒ yǒu qián . 我 有 钱。

(3) The opposite of yǒu 有 is méi (yǒu) 没（有）meaning haven't / hasn't, there isn't / aren't.

Example: Wǒ jiā yǒu māo . 我 家 有 猫。 Wǒ jiā méiyǒu māo . 我 家 没有 猫 。

Wǒ yǒu qián . 我 有 钱。 Wǒ méi qián . 我 没 钱。

2. *The opposite of* shì 是 *is* bú shì 不 是 *meaning isn't.*

Example: wǒ shì Zhōngguórén . 我 是 中 国 人。

wǒ bú shì Zhōngguórén . 我 不 是 中 国 人。

3. *In Chinese, when the adjective acts as the predicate,* shì 是 *is not necessary and often there will be an adverb in*

front of the adjective.

Wǒ hěn hǎo.
Example: 我很好。

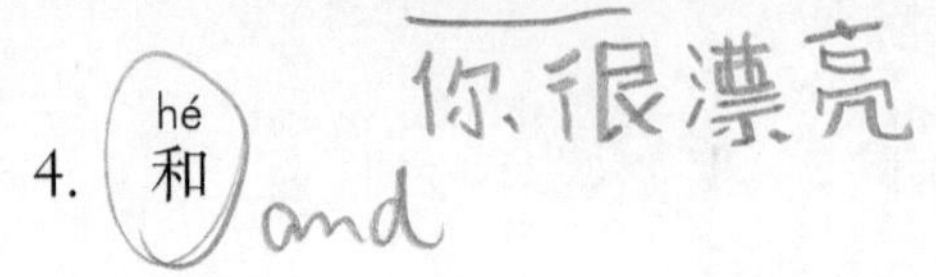

4. hé
和

(1) and

Wǒ jiā yǒu māo hé gǒu.
Example: 我家有猫和狗。

(2) with

Wǒ hé nǐ qù shāngdiàn.
Example: 我和你去商店。

hé
和 as "and" can connect two or more words in a list, but cannot connect two sentences.

Wǒ qù shāngdiàn hé yīyuàn.
Example: 我去商店和医院。(correct)

Wǒ qù shāngdiàn hé wǒ qù yīyuàn.
我去商店和我去医院。(incorrect)

V. Phonetic drills

1. Discrimination of sounds

jī xīn—zhī xīn　shāng diàn—xiāng diàn

shàng chē—shàng cè　xiàn jì—xiàn zhì

xīn jí—xīn zhí　huá dòng—huó dòng

2. Discrimination of tones

bāngzhù—bǎngzhù　bùpǐ—bù pī

qǐchuáng—qī chuáng　xièxie—xiēxie

bùgào—bù gāo　héshuǐ—hē shuǐ

3. Read the following words: 1st tone+2nd tone

fēicháng　fāngyuán　huānyíng　māo máo

piānlí　qiānyí　shēngmíng　tī qiú

jiānqiáng　Zhōngguó

VI. Characters

zhōng 中	guó 国	běi 北	jīng 京	shì 是	rén 人	jiā 家
yǒu 有	jǐ 几	kǒu 口	sān 三	bà 爸	mā 妈	hé 和
māo 猫	gǒu 狗	méi 没				

guó
国 : country

口 resembles a square box. Characters with the radical 口 relate to limits and scope.

Memory Aid: A country has borders.

jiā
家 : home

Characters with the radical 宀 relate to houses and rooms. 豕 (shǐ) means pig.

Memory Aid: To have pigs in the house signifies that the house is occupied by a family.

bà
爸 : father

Characters with the radical 父 (fù) mostly relate to a senior male. 父 (fù) means father. 巴 (bā) is the phonetic component.

mā
妈 : mother

Most characters with the radical 女 (nǚ) relate to the female. 马 (mǎ) is the phonetic component.

Memory Aid: A mother is female.

gǒu
狗 : dog

Characters with the radical 犭 relate to animals. 句 (jù) is the phonetic component.

māo
猫 : cat

苗 (miáo) is the phonetic component.

Memory Aid: A cat is an animal.

VII. Exercises

1. Listening Comprehension

(1) Listen to the recording and decide whether the situations in the pictures below are correct or incorrect. If they are correct, please mark them with a check. If they are incorrect, please mark them with an X.

①		

(2) Listen to the recording and check the correct answer for each statement.

(3) Listen to the recording and fill in A or B for each dialogue.

① ☐

② ☐

(4) Listen to the recording and check the correct answer in each group.

① A 三口 (sān kǒu)　　B 四口 (sì kǒu)

② A 狗 (gǒu)　　B 猫 (māo)

2. Reading Comprehension

(1) Read and decide whether the situations in the pictures below are correct or incorrect. If they are correct, please mark them with a check. If they are incorrect, please mark them with an X.

①		Běijīng 北京	✓
②		gǒu 狗	X 猫 māo 猫

(2) Read the following sentences and fill in A or B for each sentence.

A 

B 

① Wǒ shì Zhōngguórén.
我是中国人。 I'm Chinese　　A

② Wǒ māma qù shāngdiàn gōngzuò.
我妈妈去商店工作。　　B
my mother goes to work at the/a shop
WORKS

(3) Read and fill in A or B to complete the dialogues.

① Nǐ jiā yǒu māo ma? 你家有猫吗?		A Zhōngguórén. 中国人。
② Nǐ shì nǎ guó rén? 你是哪国人?		B Yǒu. 有。

(4) Read and fill in A or B to complete the sentences.

A Běijīng 北京　　B hé 和

① Nǐ shì (　) rén ma?
你是(　)人吗?

② Wǒ jiā yǒu māo (　) gǒu.
我家有猫(　)狗。

3. *Read the characters and then the dialogue.*

中　国　北　京　是　人　家　有　几

口　三　爸　妈　和　猫　狗　没

A: 你是中国人吗?

B: 我是中国人。

A: 你是北京人吗?

B: 我不是北京人。

A: 你叫什么名字?

B: 我叫钱三。

A: 你家有猫和狗吗?

B: 我家有猫和狗。

A: 你家有几口人?

B: 我家有三口人，爸爸、妈妈和我。

A: 你有工作吗?

B: 我没有工作。

A: 你去哪儿?

B: 我去医院。

Lesson Three What is the date today?

I. New words

èr 二 two　wǔ 五 five　liù 六 six　qī 七 seven　bā 八 eight　jiǔ 九 nine　shí 十 ten　jīntiān 今天 today

yuè 月 month, moon　hào 号 date, number　xīngqī 星期 week　míngtiān 明天 tomorrow　nián 年 year　de 的 of, (particle)

zuótiān 昨天 yesterday　zuò 做 to do　fàndiàn 饭店 restaurant, hotel　chī 吃 to eat　suì 岁 age　duōshao 多少 how many/much

zài 在 at, to be at, be doing　le 了 (particle)

Supplementary word

líng 零 zero　shēngri 生日 birthday　fàn 饭 meal　jīn nián 今年 this year　míngnián 明年 next year　rì 日 date, sun

fànguǎn 饭馆 restaurant　chūshēng 出生 be born

II. Dialogue

Jīntiān jǐ yuè jǐ hào? Xīngqī jǐ?
A: 今天几月几号？星期几？

Jīntiān èr yuè shíliù hào, xīngqīwǔ.
B: 今天二月十六号，星期五。

Nǐ de shēngri shì jǐ yuè jǐ hào?
A: 你的生日是几月几号？

Wǒ de shēngri shì míngtiān, èr yuè shíqī hào.
B: 我的生日是明天，二月十七号。

Nǐ shì nǎ niánchūshēng de?
A: 你是哪年出生的？

Wǒ shì yī jiǔ bā líng nián chūshēng de.
B: 我是一九八零年出生的。

Nǐ jīnnián duōshao suì?
A: 你今年多少岁？

Wǒ jīnnián èrshísì suì.
B: 我今年二十四岁。

Nǐ zài zuò shénme ne?
A: 你在做什么呢？

Wǒ zài gōngzuò ne.
B: 我在工作呢。

Míngtiān nǐ māma zài jiā ma?
A: 明天你妈妈在家吗？

Wǒ māma bú zài jiā, wǒ māma qù fàndiàn.
B: 我妈妈不在家，我妈妈去饭店。

Míngtiān nǐ zuò shénme?
A: 明天你做什么？

Míngtiān wǒ zài jiā gōngzuò.
B: 明天我在家工作。

Wǒ zuótiān qù shāngdiàn le, nǐ qù le ma?
A: 我昨天去商店了，你去了吗？

Wǒ méi qù shāngdiàn. Wǒ qù fàndiàn chīfàn le.
B: 我没去商店。我去饭店吃饭了。

III. Question and answer practice

Jīntiān jǐ yuè jǐ hào?
今天几月几号？

Jīntiān …
今天……

Nǐ jǐ yuè qù Zhōngguó?
你几月去中国？

Wǒ … qù Zhōngguó.
我……去中国。

Nǐ jǐ hào qù Běijīng?
你几号去北京？

Wǒ … hào qù Běijīng.
我……号去北京。

Míngtiān jǐ yuè jǐ rì?
明天几月几日？

Míngtiān …
明天……

Jīntiān xīngqī jǐ?
今天星期几？

Jīntiān xīngqī …
今天星期……

Zuótiān xīngqī jǐ?
昨天星期几？

Zuótiān …
昨天……

Jīnnián shì nǎ nián?
今年是哪年？

Jīnnián shì …
今年是……

Jīntiān nǐ zuò shénme?
今天你做什么？

Jīntiān wǒ …
今天我……

Jīntiān nǐ zuòle shénme?
今天你做了什么？

Jīntiān wǒ …
今天我……

Míngtiān nǐ zuò shénme?
明天你做什么？

Míngtiān wǒ …
明天我……

Jīnnián shēngri nǐ zuò shénme le?
今年生日你做什么了？

Jīnnián shēngri wǒ …
今年生日我……

Nǐ jīnnián duōshao suì?
你今年多少岁？

Wǒ jīnnián …
我今年……

Nǐ shì nǎ nián chūshēng de?
你是哪年出生的？

Wǒ shì … chūshēng de.
我是……出生的。

Nǐ māma jīnnián duōshao suì?
你妈妈今年多少岁？

Wǒ māma jīnnián …
我妈妈今年……

Míngnián shēngri nǐ zuò shénme?
明年生日你做什么？

Míngnián shēngri wǒ …
明年生日我……

Nǐ jiā zài nǎr?
你家在哪儿？

Wǒ jiā zài …
我家在……

Nǐ zài nǎr gōngzuò?
你在哪儿工作？

Wǒ zài … gōngzuò.
我在……工作。

Nǐ jīntiān chīfàn le ma?
你今天吃饭了吗？

Wǒ jīntiān chīfàn le. / wǒ jīntiān méi chīfàn.
我今天吃饭了。/我今天没吃饭。

Nǐ míngtiān qù fàndiàn chīfàn ma?
你明天去饭店吃饭吗?

Wǒ míngtiān qù fàndiàn chīfàn. / Wǒ míngtiān bú qù fàndiàn chīfàn.
我明天去饭店吃饭。/我明天不去饭店吃饭。

Zuótiān nǐ qù Zhōngguó fànguǎnr le ma?
昨天你去中国饭馆儿了吗?

Zuótiān wǒ qù Zhōngguó fànguǎnr le. / Zuótiān wǒ méi qù Zhōngguó fànguǎnr.
昨天我去中国饭馆儿了。/昨天我没去中国饭馆儿。

IV. Notes

1. *Question words* 多少 (duōshao) *and* 几 (jǐ)

多少 (duōshao) is normally used to ask about numbers more than ten.

几 (jǐ) is normally used to ask about numbers less than ten.

2. 是(shì)……的(de) *is used for emphasis,* 是(shì) *can also be omitted.*

Example: 你是哪年出生的? (Nǐ shì nǎnián chūshēng de?)

3. 在 (zài)

(1) to be at

Example: 我在家。(Wǒ zài jiā.)

(2) at

Example: 我在家工作。(Wǒ zài jiā gōngzuò.)

4. 在(zài)……呢(ne) *or* 在(zài) *or* 呢(ne) *: to be doing something*

Example: 你在做什么呢? (Nǐ zài zuò shénme ne?)

我在工作呢。(Wǒ zài gōngzuò ne.)

你在做什么? (Nǐ zài zuò shénme?)

我在工作。(Wǒ zài gōngzuò.)

你做什么呢? (Nǐ zuò shénme ne?)

我工作呢。(Wǒ gōngzuò ne.)

negative form: 没 (méi)

Example: 我没在工作。(Wǒ méi zài gōngzuò.)

5. 了 (le)

(1) An particle to indicate the past tense.

昨天我去了商店。(Zuótiān wǒ qùle shāngdiàn.)

(2) An particle to indicate situation changed.

昨天我去商店了。(Zuótiān wǒ qù shāngdiàn le.)

(3) The first particle to indicate the past tense, the second particle to indicate situation changed.

昨天我去了商店了。(Zuótiān wǒ qùle shāngdiàn le.)

6. bù 不

(1) (will) not

Example: Míngtiān wǒ bú qù shāngdiàn.
明天我不去商店。

(2) (do) not

Example: Wǒ bú qù shāngdiàn.
我不去商店。

7. méi 没

(1) (did) not (There is no need to use le 了 in order to express past tense.)

Example: Zuótiān wǒ méi qù shāngdiàn.
昨天我没去商店。

(2) 没 be not doing something

Example: Wǒ méi zài gōngzuò.
我没在工作。

8. *Days of the week*

In Chinese, with the exception of Sunday days of the week are expressed using the following pattern: xīngqī 星期 (week)+number 1–6, for Monday through Saturday.

Example: xīngqīyī, xīngqī'èr, xīngqīsān,
星期一、星期二、星期三、
xīngqīsì, xīngqīwǔ, xīngqīliù,
星期四、星期五、星期六、
xīngqīrì / xīngqītiān
星期日 / 星期天

9. *Expressing dates*

The sequence for expressing dates in Chinese is as follows: year+month+day.

Example: yī jiǔ qī liù nián èr yuè shíwǔ rì
一九七六年二月十五日

In spoken language, hào 号 is used instead of rì 日.

Example: yī jiǔ qī liù nián èr yuè shíwǔ hào
一九七六年二月十五号

10. *Months*

(1) number + yuè 月 = the name of month

Example: yī yuè, shí yuè
一月、十月

(2) number + gè 个 (measure word) + yuè 月 = the number of month(s)

Example: yí gè yuè, shí gè yuè
一个月、十个月

11. *Numbers*

0-10: líng 零、yī 一、èr 二、sān 三、sì 四、wǔ 五、liù 六、qī 七、bā 八、jiǔ 九、shí 十

11-20: shíyī 十一、shí'èr 十二、shísān 十三、shísì 十四、shíwǔ 十五、shíliù 十六、shíqī 十七、shíbā 十八、shíjiǔ 十九、èrshí 二十

21-99: èrshíyī 二十一……èrshíjiǔ 二十九、sānshí 三十、sìshí 四十、wǔshí 五十、liùshí 六十、qīshí 七十、bāshí 八十、jiǔshí 九十……jiǔshíjiǔ 九十九

V. Phonetic drills

1. Discrimination of sounds

zhùchù—chūchù　　chē suǒ—cèsuǒ

shēngzhǎng—zēngzhǎng　　lán qiáo—lánqiú

kāixiāo—gāi xiū　　dàxǐ—dàshǐ

2. Discrimination of tones

chī dào—chídào　　tónglíng—tōnglíng

jiàoshì—jiàoshī　　hǎowánr—hàowánr

xìqǔ—xīqǔ　　huódòng—huǒ dòng

3. "er" and retroflex finals

érzi　nǚ'ér　ěrmài　èrshí　érqiě

yíhuìr　yìdiǎnr　yǒujìnr　hǎowánr

xiānhuār

4. Read the following words: 1st tone+3rd tone

bēixǐ　hē shuǐ　jīchǎng　kāishǐ　shōuqǐ

shēntǐ　Xiānggǎng　qīxǐ　yōudiǎn

zhōngwǔ

VI. Characters

líng 零	èr 二	sì 四	wǔ 五	liù 六	qī 七	bā 八	jiǔ 九
shí 十	jīn 今	tiān 天	yuè 月	rì 日	hào 号	xīng 星	qī 期
shēng 生	míng 明	nián 年	zuó 昨	zuò 做	fàn 饭	guǎn 馆	chī 吃
suì 岁	duō 多	shǎo 少	zài 在	de 的	le 了		

líng 零 *: zero

Characters with the radical yǔ 雨 relate to a meteorological phenomenon. lìng 令 is the phonetic component.

Memory Aid: Normally, rain will disappear and leave nothing behind.

xīng 星 : star

Characters with the radical rì 日 relate to the sun. shēng 生 means to be born or to give birth to.

qī
期 : a period of time

yuè　　　　　　　　　　　　　　　　　　　　　　　　　qí
月 on the right side of a character relates to the moon or month. 其 is the phonetic component.

míng
明 : bright

　　　　　　　　　　　　　　　rì　　　　　　　　　yuè
Characters with the radical 日 relate to the sun. 月 on the right side of a character relates to the moon or month.

Memory Aid: The sun and moon together bring forth brightness.

zuó
昨 : yesterday

　　　　　　　　　　　　　　　rì
Characters with the radical 日 relate to the sun.

zuò
做 : to do

　　　　　　　rén
亻 evolved from 人, characters with the radical 亻 mostly relate to human beings and their attributes.

Characters with the radical 攵 relate to the movement of the hand.

Memory Aid: Human beings move their hands to do something.

fàn
饭 : meal

　　　　　　　shí
饣 evolved from 食. Characters with the radical 饣 also relate to food. It is placed on the left side of a character.

guǎn
馆 : restaurant

　　　　　　　shí
饣 evolved from 食. Characters with the radical 饣 also relate to food. It is placed on the left side of a character.

Memory Aid: People eat food at a restaurant.

chī
吃 : to eat

　　　　　　　　　　　　　　　kǒu
Characters with the radical 口 relate to the mouth.

　　　　　　　　　　　　　　　　　　　　　　　qǐ
Memory Aid: People use their mouth to eat. 乞 is the phonetic component.

suì
岁 *: age

xī shān
Some characters with the radical 夕 relate to night or sunset. Most characters with the radical 山 refer to mountains.

Memory Aid: When the sun disappears behind a mountain, a day has gone by. As days go by, age increases.

hào
号 *: date or number or a trumpet

kǒu
Characters with the radical 口 relate to mouth.

hào
Memory Aid: 号 is a trumpet.

 VII. Exercises

1. Listening Comprehension

(1) Listen to the recording and decide whether the situations in the pictures below are correct or incorrect. If they are correct, please mark them with a check. If they are incorrect, please mark them with an X.

①		
②	11 1 2 3 4 5 6 7 8 9 10 11 12 13 14 15 16 17 18 19 20 21 22 23 24 27 28 20 30	

(2) Listen to the recording and check the correct answer in each group.

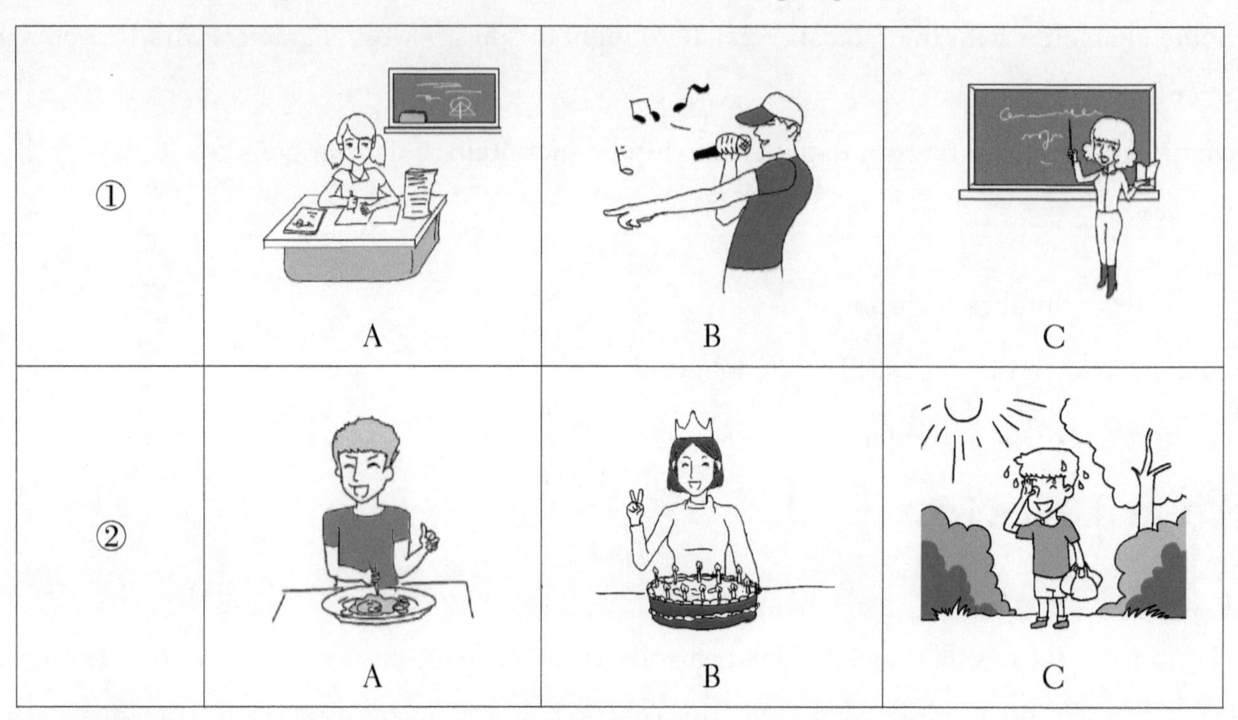

(3) Listen to the recording and fill in A or B for each dialogue.

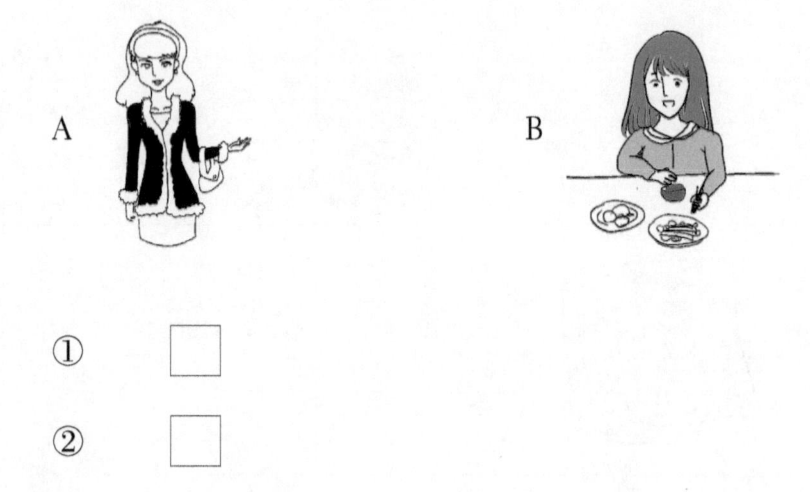

① □

② □

(4) Listen to the recording and check the correct answer in each group.

① A 十七 (shíqī)　　B 十九 (shíjiǔ)

② A 二零一六 (èr líng yī liù)　　B 二零一四 (èr líng yī sì)

2. *Reading Comprehension*

(1) Read and decide whether the situations in the pictures below are correct or incorrect. If they are correct, please mark them with a check. If they are incorrect, please mark them with an X.

①		fàndiàn 饭店	
②		zuòfàn 做饭	

(2) Read the following sentences and fill in A or B for each sentence.

A 

B 

① Wǒ de shēngri shì jīntiān.
我的生日是今天。 □

② Wǒ zuótiān qù fàndiàn chīfàn le.
我昨天去饭店吃饭了。 □

(3) Read and fill in A or B to complete the dialogues.

① Míngtiān nǐ māma zài jiā ma?
明天你妈妈在家吗？ □

② Nǐ de shēngri shì jǐ yuè jǐ hào?
你的生日是几月几号？ □

A Bú zài.
不在。

B Sān yuè shíqī hào.
三月十七号。

(4) Read and fill in A or B to complete the sentences.

xīngqīrì / zài

A 星期日　　B 在

Zuótián shì ... ma?

① 昨天是(　　)吗？

Wǒ māma ... fànguǎn gōngzuò.

② 我妈妈(　　)饭馆工作。

3. *Read the characters and then the dialogue.*

二　四　五　六　七　八　九　十　今　天

月　日　号　星　期　生　明　年　昨　做

饭　馆　吃　岁　多　少　在　的　了

A: 昨天几月几号，星期几？

B: 昨天十一月二十七号，星期三。

A: 我的生日是九月十八号，你呢？

B: 我的生日是六月十四号。

A: 你今年多少岁？

B: 我今年二十四岁。

A: 昨天你做了什么？

B: 昨天我去了商店。

A: 明天你做什么？

B: 明天我去饭馆吃饭。

A: 饭馆叫什么名字？

B: 饭馆的名字是明日饭馆。

A: 你妈妈在医院工作吗？

B: 我妈妈不在医院工作。

A: 你爸爸呢？

B: 我爸爸在医院工作。

Lesson Four What time is it?

I. New words

xiànzài 现在 now, nowadays　diǎn(diǎnzhōng) 点(点钟) o'clock　fēn (fēnzhōng) 分(分钟) minute　xuésheng 学生 student

shíhou 时候 time, moment　shàngwǔ 上午 morning　xuéxiào 学校 school　zhōngwǔ 中午 noon　xiàwǔ 下午 afternoon

tóngxué 同学 classmate　xuéxí 学习 to study　wǒmen 我们 we, us　xiě 写 to write　zì 字 character　shuìjiào 睡觉 to sleep

Supplementary words

shénme shíhou 什么时候 when　nǐmen 你们 you (plural)　hǎochī 好吃 delicious　yǒu shíhou 有时候 sometimes　wǔjiào 午觉 noon nap

(yǐ)hòu (以)后 after

II. Dialogue

Xiànzài jǐ diǎn?
A: 现在几点？

Yī diǎn.
B: 一点。

Xiànzài qī diǎn èrshíwǔ fēn.
B: 现在七点二十五分。

Xiàwǔ nǐ hé tóngxué xuéxí ma?
A: 下午你和同学学习吗?

Nǐ shì xuésheng ma?
A: 你是学生吗?

Wǒmen xuéxí.
B: 我们学习。

Wǒ shì xuésheng.
B: 我是学生。

Nǐmen xiě zì ma?
A: 你们写字吗?

Nǐ shàngwǔ shénme shíhou qù xuéxiào?
A: 你上午什么时候去学校？

Wǒmen bù xiě zì.
B: 我们不写字。

Shí fēnzhōng hòu wǒ qù xuéxiào.
B: 十分钟后我去学校。

Zuótiān nǐ shì jǐ diǎn shuìjiào de?
A: 昨天你是几点睡觉的?

Zhōngwǔ nǐ jǐ diǎn chīfàn?
A: 中午你几点吃饭?

Zuótiān wǒ shì shí diǎn shuìjiào de.
B: 昨天我是十点睡觉的。

III. Question and answer practice

Xiànzài nǐ zài zuò shénme?
现在你在做什么?

Xiànzài wǒ zài …
现在我在……

Xiànzài jǐ diǎnzhōng?
现在几点钟?

Xiànzài …
现在……

Nǐ shì xuésheng ma?
你是学生吗?
Wǒ shì xuésheng. / Wǒ bú shì xuésheng.
我是学生。/我不是学生。

Nǐ qù xuéxiào ma?
你去学校吗?
Wǒ qù xuéxiào. / Wǒ bú qù xuéxiào.
我去学校。/我不去学校。

Nǐ shénme shíhou qù xuéxiào?
你什么时候去学校?
Wǒ ··· qù xuéxiào.
我……去学校。

Sān diǎn de shíhou, nǐ zài zuò shénme?
三点的时候,你在做什么?
Sān diǎn de shíhou, wǒ zài ···
三点的时候,我在……

Wǒmen jǐ diǎn qù shāngdiàn?
我们几点去商店?
Wǒmen ··· diǎn qù shāngdiàn.
我们……点去商店。

Jīntiān shàngwǔ nǐ zuò shénme?
今天上午你做什么?
Jīntiān shàngwǔ wǒ ···
今天上午我……

Nǐ zhōngwǔ jǐ diǎn chīfàn?
你中午几点吃饭?
Wǒ zhōngwǔ ··· diǎn chīfàn.
我中午……点吃饭。

Nǐ zhōngwǔ shuìjiào ma?
你中午睡觉吗?
Wǒ zhōngwǔ shuìjiào. / Wǒ zhōngwǔ bú shuìjiào.
我中午睡觉。/我中午不睡觉。

Míngtiān xiàwǔ nǐ hé tóngxué xuéxí ma?
明天下午你和同学学习吗?
Míngtiān xiàwǔ wǒ hé tóngxué xuéxí. / Míngtiān xiàwǔ wǒ bù hé tóngxué xuéxí.
明天下午我和同学学习。/明天下午我不和同学学习。

Nǐ de tóngxué jiào shénme míngzi?
你的同学叫什么名字?
Wǒ de tóngxué jiào ···
我的同学叫……

Nǐmen qù nǎr xuéxí?
你们去哪儿学习?
Wǒmen qù ··· xuéxí.
我们去……学习。

Nǐmen jǐ diǎn qù xuéxí?
你们几点去学习?
Wǒmen ··· diǎn qù xuéxí.
我们……点去学习。

Xīngqīrì xiàwǔ sān diǎn sānshí fēn nǐ zuò shénme?
星期日下午三点三十分你做什么?
Xīngqīrì xiàwǔ sān diǎn sānshí fēn wǒ ···
星期日下午三点三十分我……

Zhōngguófàn hǎochī ma?
中国饭好吃吗?
Zhōngguófàn hěn hǎochī. / Zhōngguófàn bù hǎochī.
中国饭很好吃。/中国饭不好吃。

Nǐ zài xiě zì ma?
你在写字吗?
Wǒ zài xiě zì. / Wǒ méi zài xiě zì.
我在写字。/我没在写字。

Nǐ jīntiān xiě zì le ma?
你今天写字了吗?
Wǒ jīntiān xiě zì le. / Wǒ jīntiān méi xiě zì.
我今天写字了。/我今天没写字。

Wǒ yǒu shíhou jiǔ diǎn shuìjiào, yǒu shíhou shí diǎn shuìjiào, nǐ jǐ diǎn shuìjiào?
我有时候九点睡觉,有时候十点睡觉,你几点睡觉?
Wǒ ··· shuìjiào.
我……睡觉。

Chī wǔfàn yǐhòu nǐ zuò shénme?
吃午饭以后你做什么?
Chī wǔfàn yǐhòu wǒ ···
吃午饭以后我……

IV. Notes

1. shì
   是 : *to be*

   Example: Wǒ shì xuésheng .
   我 是 学 生 。

2. In a sentence which is used to show time, age, quantity, etc, 是 (shì) can be omitted in affirmative sentences but can not be omitted in negative sentence.

   Example: Jīntiān (shì) xīngqīsān .
   今天（是）星期三。

   Jīntiān bú shì xīngqīsān .
   今天 不 是 星期三。

   Wǒ èrshí suì .
   我 二十 岁。

   Wǒ bú shì èrshí suì .
   我 不 是 二十 岁。

3. men
   们 *denotes plurality*

   Example: 我 (wǒ) – 我们 (wǒmen)　你 (nǐ) – 你们 (nǐmen)

V. Phonetic drills

1. Discrimination of sounds

xīshēng—shīshēng　dǒng le—tōng le

dàoqí—táoqì　zhuàngshāng—chuàngshāng

shǎo chī—xiǎochī　tuīxiāo—tuìxiū

2. Discrimination of tones

mǎi guā—mài guā　máoyī—màoyì

shǒubiǎo—shòutáo　qiānxiàn—qiánxiàn

huíyì—huìyì　shēngshì—shěngshì

3. Read the following words : 1st tone + 4th tone

chūcuòr　dēngjù　fāngkuàir　gāoxìng

gōngzuò　kāihuì　chīfàn　qūjiù

shāngdiàn　shēngbìng

VI. Characters

shàng 上	wǔ 午	xià 下	diǎn 点	fēn 分	zhōng 钟	xiàn 现
shí 时	hòu 候	xué 学	xiào 校	tóng 同	xí 习	men 们
xiě 写	shuì 睡	jiào 觉	hòu 后	yǐ 以		

diǎn
点 : to light; point

灬 is a variant of 火 (huǒ) (fire). Characters with the radical 灬 relate to fire. 占 (zhàn) is the phonetic component.

Memory Aid: A fire can light something.

zhōng
钟 : clock

钅 evolved from 金 (jīn), characters with the radical 钅 relate to metal. 中 (zhōng) is the phonetic component.

Memory Aid: A clock is made of metal.

xiàn
现 : appear

Characters with the radical 王 (wáng) mostly relate to kings/emperors or jade. 见 (jiàn) is the phonetic component.

shí
时 : time

Characters with the radical 日 (rì) relate to the sun.

Memory Aid: Time can be reflected by the sunrise and sunset.

hòu
候 : to wait

亻 evolved from 人 (rén). Characters with the radical 亻 mostly relate to human beings and their attributes.

Memory Aid: Sometimes, human beings need to wait.

xiào
校 : school

Characters with the radical 木 (mù) relate to trees or wood. 交 (jiāo) is the phonetic component.

men
们 : (plural suffix)

亻 evolved from 人 (rén), characters with the radical 亻 mostly relate to human beings and their attributes. 们 (men) is used after a personal pronoun to form the plural.

shuì
睡 : to sleep

Characters with the radical 目 (mù) relate to the eyes. 垂 (chuí) means falling.

Memory Aid: When the eyelids fall, a person is ready to go to sleep.

VII. Exercises

1. Listening Comprehension

(1) Listen to the recording and decide whether the situations in the pictures below are correct or incorrect. If they are correct, please mark them with a check. If they are incorrect, please mark them with an X.

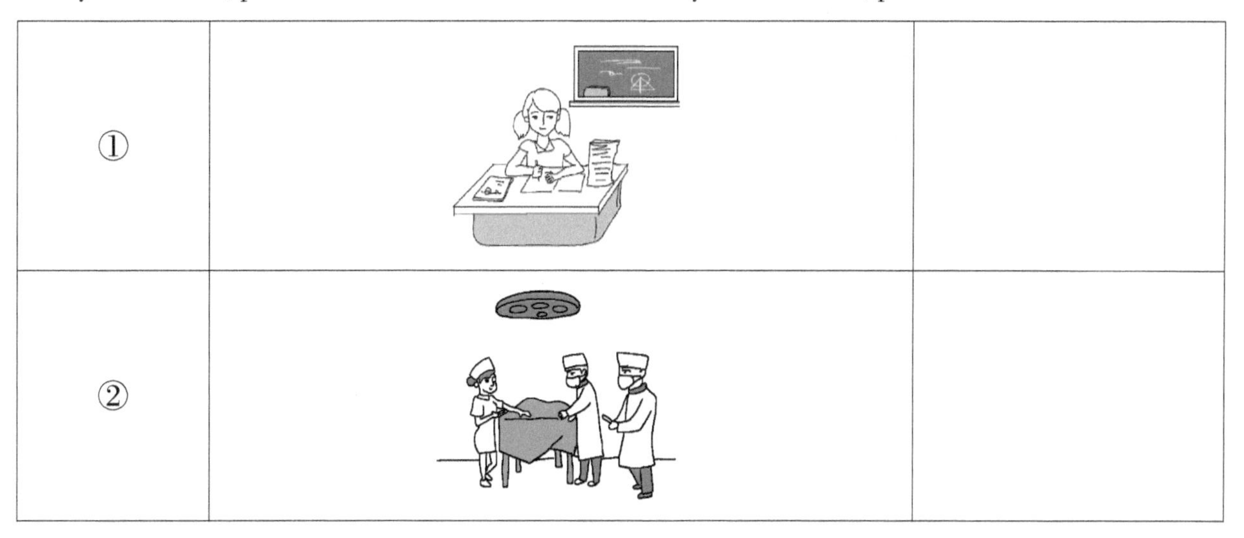

(2) Listen to the recording and check the correct answer in each group.

(3) Listen to the recording and fill in A or B for each dialogue.

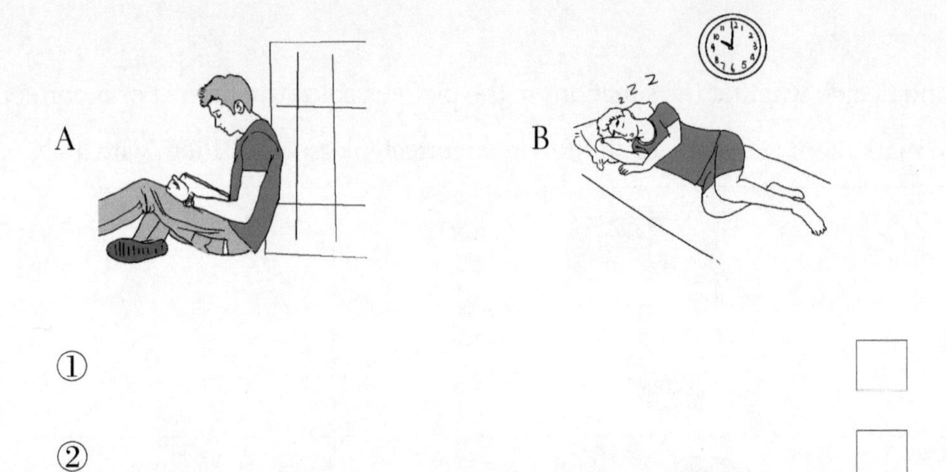

① ☐

② ☐

(4) Listen to the recording and check the correct answer in each group.

① A 三点 (sān diǎn) B 四点 (sì diǎn)

② A 是 (shì) B 不是 (bú shì)

2. *Reading Comprehension*

(1) Read and decide whether the situations in the pictures below are correct or incorrect. If they are correct, please mark them with a check. If they are incorrect, please mark them with an X.

①		xuéxiào 学校 school	✓
②		xiě zì 写字 writing	X

(2) Read the following sentences and fill in A or B for each sentence.

A

B

Wǒmen shì xuésheng.
① 我们是学生。 A

Jīntiān xiàwǔ wǒ zài xuéxiào xuéxí.
② 今天下午我在学校学习。 B

(3) Read and fill in A or B to complete the dialogues.

Nǐ shénme shíhou qù xuéxiào?
① 你什么时候去学校？ ☐

Chīfàn hòu, nǐ zuò shénme?
② 吃饭后，你做什么？ ☐

Xiàwǔ sān diǎn.
A 下午三点。

Wǒ xiě zì.
B 我写字。

(4) Read and fill in A or B to complete the sentences.

shénme shíhou
A 什么时候

zhōngwǔ
B 中午

Nǐ zuótiān shuìjiào de?
① 你昨天（ A ）睡觉的？

Wǒ jīntiān shí'èr diǎn chīfàn.
② 我今天（ B ）十二点吃饭。

3. *Read the characters and then the dialogue.*

上 午 下 点 分 钟 现
时 候 学 校 同 习 们
写 字 睡 觉 后 以

A：你们上午做什么？
B：我们上午学习。
A：中午你们睡午觉吗？

B：我们有时候睡午觉，有时候不睡午觉。

A：午觉以后你们做什么？

B：午觉以后我们写字。

A：现在几点？

B：现在是下午四点钟，我和同学们在学校吃饭。

A：你们学校的饭好吃吗？

B：我们学校的饭很好吃。

A：明天你去学校吗？

B：明天我去学校。

A：明天你几点去学校？

B：明天我八点四十分去学校。

Lesson Five What do you want to buy?

I. New words

xiānsheng 先生 Mr., Sir　mǎi 买 to buy　xiǎojiě 小姐 Miss　běn 本 (measure word)　Hànyǔ 汉语 Chinese language　shū 书 book　zhè 这 this

nà 那 that, then　(yì) xiē (一)些 some　shuǐguǒ 水果 fruit　píngguǒ 苹果 apple　kuài 块 (measure word)　gè 个 measure word

dà 大 big　xiǎo 小 small　yīfu 衣服 clothes　piàoliang 漂亮 beautiful　zěnmeyàng 怎么样 how about; what about; how　tài 太 too

dōngxi 东西 things　qǐng 请 please; to invite

Supplementary words

wèn 问 ask　qǐngwèn 请问 excuse me; please tell me　zhèr 这儿 here　nàr 那儿 there　yào 要 to want, to need

jīn 斤 unit of weight　jiàn 件 (measure word)　kěyǐ 可以 can, OK　zhèxiē 这些 these　nàxiē 那些 those

hǎoxué 好学 easy to learn　bǎi 百 hundred

II. Dialogue

Xiānsheng, nǐ yào mǎi shénme dōngxi?
A: 先生，你要买什么东西?

Xiǎojiě, wǒ yào mǎi yì běn Hànyǔshū.
B: 小姐，我要买一本汉语书。

Zhè běn shū kěyǐ ma?
A: 这本书可以吗?

Kěyǐ, xièxie!
B: 可以，谢谢!

……

Nǐmen zhèr yǒu shuǐguǒ ma?
B: 你们这儿有水果吗?

Yǒu. Shuǐguǒ zài nàr.
A: 有。水果在那儿。

Píngguǒ duōshao qián yì jīn?
B: 苹果多少钱一斤?

Sān kuài qián yì jīn.
A: 三块钱一斤。

Wǒ yào wǔ ge.
B: 我要五个。

Nǐ yào dà de ma?
A: 你要大的吗?

Bù, wǒ yào xiǎo de.
B: 不，我要小的。

……

Zhèxiē yīfu hěn piàoliang.
B: 这些衣服很漂亮。

Èrbǎi bāshí kuài yí jiàn. zhè jiàn zěnmeyàng?
A: 二百八十块一件。这件怎么样?

Tài dà le, wǒ yào nà jiàn xiǎo de.
B: 太大了，我要那件小的。

……

Xiǎojiě, qǐngwèn duōshao qián?
B：小姐，请问多少钱？

Yì běn shū, wǔ ge píngguǒ hé yí jiàn yīfu, sānbǎi èrshí kuài.
A：一本书、五个苹果和一件衣服，三百二十块。

Zhè shì sānbǎi wǔshí.
B：这是三百五十。

Zhè shì nǐ de sānshí kuài.
A：这是你的三十块。

Xièxie!
B：谢谢！

Bú kèqi.
A：不客气。

III. Question and answer practice

Xiānshengmen, xiǎojiěmen, nǐmen hǎo ma?
先生们，小姐们，你们好吗？

Wǒmen hěn hǎo.
我们很好。

Nǐ yào mǎi shénme?
你要买什么？

Wǒ yào mǎi …
我要买……

Nǐ chī píngguǒ ma?
你吃苹果吗？

Wǒ chī píngguǒ. / Wǒ bù chī píngguǒ.
我吃苹果。/我不吃苹果。

Nǐ mǎi shuǐguǒ ma?
你买水果吗？

Wǒ mǎi shuǐguǒ. / Wǒ bù mǎi shuǐguǒ.
我买水果。/我不买水果。

Nǐ mǎi shuǐguǒ le ma?
你买水果了吗？

Wǒ mǎi shuǐguǒ le. / Wǒ méi mǎi shuǐguǒ.
我买水果了。/我没买水果。

Zhèr yǒu píngguǒ ma?
这儿有苹果吗？

Zhèr yǒu píngguǒ. / zhèr méiyǒu píngguǒ.
这儿有苹果。/这儿没有苹果。

Píngguǒ zài nàr ma?
苹果在那儿吗？

Píngguǒ zài nàr. / Píngguǒ bú zài nàr.
苹果在那儿。/苹果不在那儿。

Píngguǒ jǐ kuài qián yì jīn?
苹果几块钱一斤？

Píngguǒ … yì jīn.
苹果……一斤。

Nàge shāngdiàn dà ma?
那个商店大吗？

Nàge shāngdiàn hěn dà. / Nàge shāngdiàn bú dà.
那个商店很大。/那个商店不大。

Zhèxiē píngguǒ yǒu jǐ ge?
这些苹果有几个？

Zhèxiē píngguǒ yǒu … ge.
这些苹果有……个。

Nàxiē dōngxi shì nǐ de ma?
那些东西是你的吗？

Nàxiē dōngxi shì wǒ de. / Nàxiē dōngxi bú shì wǒ de.
那些东西是我的。/那些东西不是我的。

Nǐ yào qù mǎi dōngxi ma?
你要去买东西吗？

Wǒ yào qù mǎi dōngxi. / Wǒ bú qù mǎi dōngxi.
我要去买东西。/我不去买东西。

Nǐ bù qǐng wǒ qù nǐ jiā ma?
你不请我去你家吗？

Wǒ qǐng nǐ qù wǒ jiā. / Wǒ bù qǐng nǐ qù wǒ jiā.
我请你去我家。/我不请你去我家。

Qǐngwèn, Qián xiǎojiě zài nǎr?
请问，钱小姐在哪儿？

Qián xiǎojiě zài …
钱小姐在……

Zhèr yǒu yīfu ma?
这儿有衣服吗？

Zhèr yǒu yīfu. / Zhèr méiyǒu yīfu.
这儿有衣服。/这儿没有衣服。

Zhè jiàn yīfu duōshao qián?
这件衣服多少钱？

Zhè jiàn yīfu …
这件衣服……

Nà shì shénme dōngxi?
那是什么东西？

Nà shì …
那是……

Nà jiàn yīfu piàoliang ma?
那件衣服漂亮吗？

Nà jiàn yīfu hěn piàoliang. / Nà jiàn yīfu bú piàoliang.
那件衣服很漂亮。/那件衣服不漂亮。

Nà jiàn yīfu zěnmeyàng?
那件衣服怎么样？

Nà jiàn yīfu hěn piàoliang. / Nà jiàn yīfu bú piàoliang.
那件衣服很漂亮。/那件衣服不漂亮。

Nǐ yào mǎi jǐ jiàn yīfu?
你要买几件衣服？

Wǒ yào mǎi … jiàn yīfu.
我要买……件衣服。

Wǒ de yīfu shì bu shì tài xiǎo le?
我的衣服是不是太小了？

Shì, nǐ de yīfu tài xiǎo le. / Bù, nǐ de yīfu bù xiǎo.
是，你的衣服太小了。/不，你的衣服不小。

Nǐmen xuéxiào dà ma?
你们学校大吗？

Wǒmen xuéxiào hěn dà. / Wǒmen xuéxiào bú dà.
我们学校很大。/我们学校不大。

Nǐ xué Hànyǔ le ma?
你学汉语了吗？

Wǒ xué Hànyǔ le. / Wǒ méi xué Hànyǔ.
我学汉语了。/我没学汉语。

Nǐ yǒu Hànyǔ shū ma?
你有汉语书吗？

Wǒ yǒu Hànyǔ shū. / Wǒ méiyǒu Hànyǔ shū.
我有汉语书。/我没有汉语书。

Nǐ yào jǐ běn Hànyǔ shū?
你要几本汉语书？

Wǒ yào … běn Hànyǔ shū.
我要……本汉语书。

Wǒmen kěyǐ chīfàn le ma?
我们可以吃饭了吗？

Wǒmen kěyǐ chīfàn le. / Wǒmen bù kěyǐ chīfàn.
我们可以吃饭了。/我们不可以吃饭。

IV. Notes

1. zěnmeyàng
   怎么样 *what about; how about; how*

   Example: Zhè jiàn yīfu zěnmeyàng?
   这件衣服怎么样？

2. zěnme le
   怎么了 *what's up*

   Example: Nǐ zěnme le?
   你怎么了？

3. tài … le
   太……了: *too*

le
了: A modal particle which represents a completed action when following a verb. Here it signifies an exclamation.

Example: tài xiǎo le 太小了　tài hǎo le 太好了

4. 一些 (yìxiē): *some*. 一 (yī) *can be omitted*.

Wǒ mǎi (yì) xiē píngguǒ.
Example: 我买（一）些苹果。

5. ……的 (de)

(1) When following a personal pronoun it changes into a possessive pronoun.

wǒ de　　nǐ de
Example: 我的 my　　你的 your

(2) of

wǒ jiā de gǒu
Example: 我家的狗 the dog of my family (my family's dog)

(3) 的 (de) can be omitted after family or unit.

wǒ jiā / wǒ bàba
Example: 我家 / 我爸爸

(4) 的 (de) positioned after a pronoun, verb or adjective will act as a noun, while the noun indicated is omitted.

Zhè běn shū shì wǒ de (shū).
Example: 这本书是我的（书）。

Nǐ mǎi de (yīfu) hěn piàoliang.
你买的（衣服）很漂亮。

Wǒ yào dà de (píngguǒ).
我要大的（苹果）。

6. A不(bù)A

In Chinese, A 不 (bù) A can be used to form interrogative sentence, but 吗 (ma) is excluded. A can be a verb, adjective or 是.

Wǒ de yīfu shì bu shì tài xiǎo le?
Example: 我的衣服是不是太小了？

Wǒ de yīfu tài xiǎo le ma?
=我的衣服太小了吗？

Nǐ qù bu qù shāngdiàn?
你去不去商店？

Nǐ qù shāngdiàn ma?
=你去商店吗？

V. Phonetic drills

1. Discrimination of sounds

niúnǎi—yóulǎn　　zìjǐ—cíqù
shāngliang—xiǎngliàng　　zhǔxí—chūqì
gǔzhǎng—kùcháng　　niǎolóng—lǎonóng

2. Discrimination of tones

Měijīn—méijìn　　jiǔ rén—jiùrèn
bā kē—bàkè　　tóngzhì—tōngzhī
fènliang—fēn liáng　　jiǎndān—jiān dàn

3. Read the following words: 1st tone + neutral tone

dāying　tāmen　cāicai　chuānzhe
diānliang　gēge　hē le　xiūxi　qīzi
duōshao

VI. Characters

yī	fú	shuǐ	guǒ	píng	mǎi	piào
衣	服	水	果	苹	买	漂
liàng	běn	shū	Hàn	yǔ	xiān	jiě
亮	本	书	汉	语	先	姐
zhè	nà	xiē	kuài	gè	dà	xiǎo
这	那	些	块	个	大	小
zěn	yàng	tài	dōng	xī	qǐng	yào
怎	样	太	东	西	请	要
kě	jīn	jiàn	wèn			
可	斤	件	问			

fú
服 : clothes

yuè
月 on the left side of a character relates to the body.

píng
苹 : apple

Characters with the radical 艹 relate mostly to plants, 平 (píng) is the phonetic compenent.

Hàn
汉 : the name of a major tributary of the Yangtze River; the Han people. And 氵 evolved from 水 (shuǐ). Characters with the radical 氵 relate to water or liquid.

yǔ
语 : language

吾 (wú) is the phonetic component, while 讠 is a variant of 言 (yán). Characters with the radical 讠 relate to language.

qǐng
请 : please, invite

qīng
青 is the phonetic component.

jiě
姐 : elder sister

Most characters with the radical 女 (nǚ) relate to the female sex. 且 (qiě) is the phonetic component.

zhè
这 : this

Characters with the radical 辶 relate mostly to walking.

nà
那 : that

阝 relates to a place.

kuài
块 : measure word

Most characters with the radical 土 (tǔ) relate to soil. 块 (kuài) is the measure word for bricks or some other solid objects.

zěn
怎 : how

Characters with the radical 心 (xīn) relate to mental activities. 乍 (zhà) is the phonetic component.

tài
太 : too

Characters with the radical 大 (dà) relate to something big. The character resembles a person with open arms.

jiàn
件 : measure word

亻 evolved from 人 (rén), characters with the radical 亻 mostly relate human beings and their attributes. 件 (jiàn) is a measure word for clothes.

wèn
问 : to ask

Many characters with the radical 门 (mén) relate to doors. 口 (kǒu) means mouth. Therefore, 问 (wèn) illustrates a person making inquiries at someone's doorstep.

VII. Exercises

1. Listening Comprehension

(1) Listen to the recording and decide whether the situations in the pictures below are correct or incorrect. If they are correct, please mark them with a check. If they are incorrect, please mark them with an X.

(2) Listen to the recording and check the correct answer in each group.

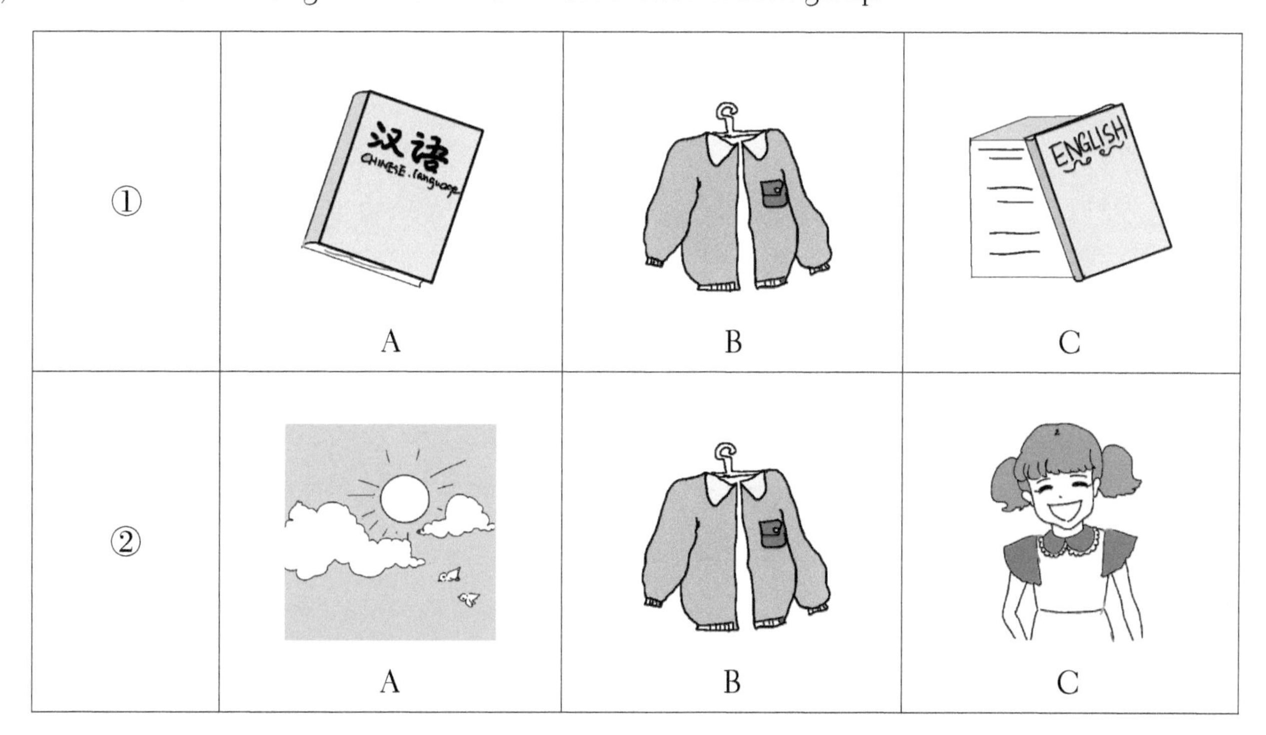

(3) Listen to the recording and fill in A or B for each dialogue.

① ☐

② ☐

(4) Listen to the recording and check the correct answer in each group.

① A 大的 (dà de)　　B 小的 (xiǎo de)

② A 漂亮 (piàoliang)　　B 不漂亮 (bú piàoliang)

2. *Reading Comprehension*

(1) Read and decide whether the situations in the pictures below are correct or incorrect. If they are correct, please mark them with a check. If they are incorrect, please mark them with an X.

①		shuǐguǒ 水果	
②	练习本	shū 书	

(2) Read the following sentences and fill in A or B for each sentence.

A 　　B 

Xiǎojiě, wǒ yào mǎi zhèxiē píngguǒ.
① 小姐，我 要 买 这些 苹 果。 □

Qǐng wèn, nǎr kěyǐ mǎi yīfu?
② 请 问，哪儿可以买衣服？ □

(3) Read and fill in A or B to complete the dialogues.

Píngguǒ duōshao qián yì jīn?
① 苹 果 多 少 钱 一斤？ □

Wǒ de yīfu zěnmeyàng?
② 我 的衣服怎么 样？ □

Tài xiǎo le.
A 太 小 了。

Sān kuài qián yì jīn.
B 三 块 钱 一斤。

(4) Read and fill in A or B to complete the sentences.

zhèr
A 这儿

tài piàoliang le
B 太 漂 亮 了

yǒu shuǐguǒ ma?
① (　　)有 水 果 吗？

Zhè jiàn yīfu !
② 这 件 衣服 (　　)！

3. *Read the characters and then the dialogue.*

衣 服 水 果 苹 买 漂 亮 本
书 汉 语 先 姐 这 那 些 块
个 大 小 怎 样 太 东 西 请
要 可 斤 件 问

A：你好。
B：你好。我这件衣服怎么样？
A：你的衣服太漂亮了！
B：谢谢。你去哪儿？

A：我去学校学习。

B：你去学什么？

A：我去学汉语。

B：你学了几本汉语书了？

A：我学了四本汉语书了。

B：汉语好学吗？

A：不好学。

你去哪儿？

B：我去商店买东西。

A：你要买什么？

B：一些水果。

A：什么水果？

B：苹果。

A：苹果多少钱一斤？

B：你要问那儿的先生和小姐。。

A：一斤有几个？

B：大的三个，小的五个。

A：那个商店有衣服吗？

B：有。

A：太好了，我要去那个商店买衣服。

请问，那个商店在哪儿？

B：那个商店在我们学校。

A：我可以去那儿买东西吗？

B：可以。

Lesson Six What do you want to eat?

I. New words

shuǐ 水 water　cài 菜 dish, vegetable　mǐfàn 米饭 cooked rice　chá 茶 tea　bēizi 杯子 glass　hē 喝 to drink

ài 爱 to love, to like　dōu 都 both, all　lěng 冷 cold　rè 热 hot　kàn 看 to look, to watch, to read

Supplementary words

bēi 杯 (measure word)　rè cài 热菜 hot dishes　lěng cài 冷菜 cold dishes　zài 再 again, then; after that

hǎohē 好喝 good (used for drinks)　hǎokàn 好看 pretty, nice-looking　liǎng 两 two

II. Dialogue

Xiānsheng, yào chī shénme?
A: 先生，要吃什么？

Nǐmen zhèr yǒu shénme?
B: 你们这儿有什么？

Wǒmen de cài dōu zài zhèr, nǐmen kànkan.
A: 我们的菜都在这儿，你们看看。

Wǒmen yào zhè jǐ ge cài, yào liǎng ge mǐfàn.
B: 我们要这几个菜，要两个米饭。

Hǎo de. Nǐmen yào chá ma?
A: 好的。你们要茶吗？

Wǒmen bú yào chá, wǒmen yào shuǐ.
B: 我们不要茶，我们要水。

Lěng shuǐ ma?
A: 冷水吗？

Wǒ yào rè shuǐ, zài yào yí ge bēizi.
B: 我要热水，再要一个杯子。

Wǒ ài hē lěng shuǐ, wǒ yào lěng shuǐ.
C: 我爱喝冷水，我要冷水。

Hǎo de.
A: 好的。

...
……

Wǒmen bú yào zhège cài le, wǒmen yào nàge cài, kěyǐ ma?
B: 我们不要这个菜了，我们要那个菜，可以吗？

Kěyǐ.
A: 可以。

Xièxie!
B: 谢谢！

Bú kèqi.
A: 不客气。

III. Question and answer practice

Shuǐ rè ma?
水热吗?

Shuǐ hěn rè. / Shuǐ bú rè.
水很热。/ 水不热。

Shuǐ rè le ma?
水热了吗?

Shuǐ rè le. / Shuǐ méi rè ne.
水热了。/ 水没热呢。

Shuǐ lěng ma?
水冷吗?

Shuǐ hěn lěng. /Shuǐ bù lěng.
水很冷。/ 水不冷。

Nǐ jīntiān chīle shénme cài?
你今天吃了什么菜?

Wǒ jīntiān chīle …
我今天吃了……

Nǐ ài chī shénme rè cài?
你爱吃什么热菜?

Wǒ ài chī …
我爱吃……

Nǐ ài chī shénme lěng cài?
你爱吃什么冷菜?

Wǒ ài chī …
我爱吃……

Rè cài hé lěng cài, nǐ dōu ài chī ma?
热菜和冷菜，你都爱吃吗?

Rè cài hé lěng cài, wǒ dōu ài chī. / Wǒ bù dōu ài chī. / Wǒ dōu bú ài chī.
热菜和冷菜，我都爱吃。/ 我不都爱吃。/ 我都不爱吃。

Nǐ ài chī mǐfàn ma?
你爱吃米饭吗?

Wǒ ài chī mǐfàn. / Wǒ bú ài chī mǐfàn.
我爱吃米饭。/ 我不爱吃米饭。

Nǐ hē shuǐ ma?
你喝水吗?

Wǒ hē shuǐ. / Wǒ bù hē shuǐ.
我喝水。/ 我不喝水。

Zhè bēi shuǐ rè ma?
这杯水热吗?

Nà bēi shuǐ hěn rè. / Nà bēi shuǐ bú rè.
那杯水很热。/ 那杯水不热。

Nǐ ài hē chá ma?
你爱喝茶吗?

Wǒ ài hē chá. / Wǒ bú ài hē chá.
我爱喝茶。/ 我不爱喝茶。

Nà bēi chá hǎohē ma?
那杯茶好喝吗?

Zhè bēi chá hěn hǎohē. /Zhè bēi chá bù hǎohē.
这杯茶很好喝。/ 这杯茶不好喝。

Nǐ yào jǐ ge bēizi?
你要几个杯子?

Wǒ yào … ge bēizi.
我要……个杯子。

Nàge bēizi hǎokàn ma?
那个杯子好看吗?

Nàge bēizi hěn hǎokàn. / Nàge bēizi bù hǎokàn.
那个杯子很好看。/ 那个杯子不好看。

Nǐ jīntiān kànshū le ma?
你今天看书了吗?

Wǒ jīntiān kànshū le. / Wǒ jīntiān méi kànshū.
我今天看书了。/ 我今天没看书。

IV. Notes

1. In Chinese language, certain verbs may be duplicated or insert 一 (yī) or 了 (le) as well to indicate short duration, ease and casualness of an activity; though inserting 了 (le) may also indicate the action has already happened.

Example: 看 (kàn) – 看看 (kànkan) – 看一看 (kàn yi kàn) – 看了看 (kàn le kàn)

2. 都 (dōu)

(1) both, all

Wǒmen de cài dōu zài zhèr .
Example: 我们的菜都在这儿。

(2) already

Dōu shí'èr diǎn le , wǒ yào shuìjiào le .
Example: 都十二点了，我要睡觉了。

3. ……，好吗？/可以吗？ (hǎo ma? / kěyǐ ma?) …, is that OK?

Wǒmen bú yào zhège cài le , wǒmenyào nàge cài , kěyǐ ma?
Example: 我们不要这个菜了，我们要那个菜，可以吗？

Wǒmen bú yào zhège cài le , wǒmenyào nàge cài , hǎo ma?
我们不要这个菜了，我们要那个菜，好吗？

V. Phonetic drills

1. Discrimination of sounds

rénmín—shēngmíng　　běnzi—pánzi
zhuàn qián—zhuàng qiáng　　pǎobù—bǎohù
bú shì—bù zhí　　xiāoxi—jiāojí

2. Discrimination of tones

càizǐ—cǎi zì　　zǔzhǐ—zǔzhī
rènshi—rénshì　　cāi yi cāi—cǎi yi cǎi
róngyi—róngyī　　wán le—wǎn le

3. Read the following words: 2nd tone + 1st tone

biéshuō　chájī　fángjiān　guójiā
líng fēnr　huí jiā　míngtiān　xuékē
jiéhūn　pángbiān

VI. Characters

cài 菜	mǐ 米	chá 茶	bēi 杯	zi 子	hē 喝
ài 爱	dōu 都	lěng 冷	rè 热	kàn 看	

cài
菜 : vegetable

Characters with the radical 艹 mainly relate to plants. 采 (cǎi) is the phonetic component.

Memory Aid: Vegetables are plants.

chá
茶 : tea

Characters with the radical 艹 mainly relate to plants.

Memory Aid: Tea is made from tree leaves.

bēi
杯 : cup

Characters with the radical 木 (mù) relate to trees or wood.

Memory Aid: A cup was made of wood in ancient time.

hē
喝 : drink

Characters with the radical 口 (kǒu) relate to the mouth.

Memory Aid: People use their mouth to drink.

lěng
冷 : cold

Characters with the radical 冫 mainly relate to something cold. 令 (lìng) is the phonetic component.

rè
热 : hot; heat

灬 is a variation of 火 (huǒ) (fire). Characters with the radical 灬 also relate to fire. 执 (zhí) is the phonetic component.

Memory Aid: Fire produces heat.

kàn
看 : to look

Characters with the radical 目 (mù) relate to the eyes.

Memory Aid: People use their eyes to look at things.

VII. Exercises

1. Listening Comprehension

(1) Listen to the recording and decide whether the situations in the pictures below are correct or incorrect. If they are correct, please mark them with a check. If they are incorrect, please mark them with an X.

(2) Listen to the recording and check the correct answer for each statement.

(3) Listen to the recording and fill in A or B for each dialogue.

A 

B 

① ☐

② ☐

(4) Listen to the recording and check the correct answer in each group.

①	A rè cài 热菜	B lěng cài 冷菜
②	A chá 茶	B shuǐ 水

2. *Reading Comprehension*

(1) Read and decide whether the situations in the pictures below are correct or incorrect. If they are correct, please mark them with a check. If they are incorrect, please mark them with an X.

①		shuǐ 水	✓
②		mǐfàn 米饭	✗

(2) Read the following sentences and fill in A or B for each sentence.

A 

B 

Wǒ yào chī zhège cài .
① 我 要 吃 这个 菜。 A

Zhè bēi chá hěn rè .
② 这 杯 茶 很 热。 B

(3) Read and fill in A or B to complete the dialogues.

Xiānshēngmen , nǐmen yào chī shénme?
① 先 生 们，你们 要 吃 什 么？ 

Wǒmen bú yào zhège cài le , wǒmen yào nàge cài , hǎo ma?
② 我 们 不 要 这个 菜了，我们 要 那个 菜，好 吗？ A

Hǎo .
A 好。

Mǐfàn .
B 米饭。

(4) Read and fill in A or B to complete the sentences.

A 热菜 (rè cài) B 看看 (kànkan)

Wǒ yào sì ge lěng cài , liù ge .
① 我 要四个 冷 菜，六个（ A ）。

Nǐmen , píngguǒ dōu zài zhèr .
② 你们（ B ），苹 果 都 在 这儿。

3. *Read the characters and then the dialogue.*

菜 米 茶 杯 子 喝 爱 都
冷 热 看

A：我们去饭馆吃饭，怎么样？
B：好的。
A：你要吃什么？
B：米饭和一个热菜，一个冷菜。
A：你要喝什么？
B：茶。你爱喝茶吗？
A：我爱喝茶。

B：你看，那个饭馆怎么样？

A：那不是中国饭馆，我爱吃中国饭。

B：我昨天去了一个中国饭馆，菜很好吃，我们去那儿，好吗？

A：那个饭馆在哪儿？

B：在我们学校。

A：我要买杯子，你们学校的商店有吗？

B：有，我们学校的商店有很多好看的杯子。

A：好，我和你去你们学校。

Lesson Seven How to go to the train station?

I. New words

zěnme 怎么 how, why　hòumian 后面 behind　fēijī 飞机 airplane　zuò 坐 to take, to sit　qiánmian 前面 in front of

shàng 上 get on, to start, to go, on　xià 下 get off; to finish; under　chūzūchē 出租车 taxi　kànjiàn 看见 to see　kāi 开 to drive, to open

rènshi 认识 to know　péngyou 朋友 friend　lái 来 to come

Supplementary words

huǒchēzhàn 火车站 train station　fēijīchǎng 飞机场 airport　qìchē 汽车 bus, car　dào 到 to arrive　zǒu 走 to walk, to go

II. Dialogue

Qǐng wèn, qù huǒchēzhàn zěnme zǒu?
A: 请问，去火车站怎么走？

Huǒchēzhàn zài nàge fàndiàn hòumian.
B: 火车站在那个饭店后面。

Qù fēijīchǎng ne?
A: 去飞机场呢？

Qù fēijīchǎng zuò qìchē, qiánmian shàng chē, fēijīchǎng xià chē.
B: 去飞机场坐汽车，前面上车，飞机场下车。

Jǐ diǎnzhōng wǒ kěyǐ dào fēijīchǎng?
A: 几点钟我可以到飞机场？

Liǎng diǎnzhōng.
B: 两点钟。

Zuò chūzūchē ne?
A: 坐出租车呢？

Yī diǎn shí fēn.
B: 一点十分。

Wǒ zuò chūzūchē qù.
A: 我坐出租车去。

Nǐ kànjiàn le ma? Chūzūchē lái le. Kāichē de rén wǒ rènshi, shì wǒ de péngyou.
B: 你看见了吗？出租车来了。开车的人我认识，是我的朋友。

Hǎo. Xièxie nǐ.
A: 好。谢谢你。

Bú kèqi.
B: 不客气。

III. Question and answer practice

Huǒchēzhàn zài nǎr?
火车站在哪儿？

Huǒchēzhàn zài …
火车站在……

Nǐ ài zuò fēijī ma?
你爱坐飞机吗？

Wǒ ài zuò fēijī. / Wǒ bú ài zuò fēijī.
我爱坐飞机。/ 我不爱坐飞机。

Nǐ zuò huǒchē qù Běijīng ma?
你坐火车去北京吗?

Wǒ zuò huǒchē qù Běijīng. / Wǒ bú zuò huǒchē qù Běijīng.
我坐火车去北京。/我不坐火车去北京。

Nǐ hòumian de dōngxi shì nǐ de ma?
你后面的东西是你的吗?

Wǒ hòumian de dōngxi shì wǒ de. / Wǒ hòumian de dōngxi bú shì wǒ de.
我后面的东西是我的。/我后面的东西不是我的。

Nǐ qiánmian de rén shì nǐ de tóngxué ma?
你前面的人是你的同学吗?

Wǒ qiánmian de rén shì wǒ de tóngxué. / Wǒ qiánmian de rén bú shì wǒ de tóngxué.
我前面的人是我的同学。/我前面的人不是我的同学。

Hòumian de nàge rén nǐ rènshi ma?
后面的那个人你认识吗?

Hòumian de nàge rén wǒ rènshi. / Hòumian de nàge rén wǒ bú rènshi.
后面的那个人我认识。/后面的那个人我不认识。

Nǐ jīntiān zuò chūzūchē qù xuéxiào ma?
你今天坐出租车去学校吗?

Wǒ jīntiān zuò chūzūchē qù xuéxiào. / Wǒ jīntiān bú zuò chūzūchē qù xuéxiào.
我今天坐出租车去学校。/我今天不坐出租车去学校。

Nǐ kànjiàn shāngdiàn le ma?
你看见商店了吗?

Wǒ kànjiàn shāngdiàn le. / Wǒ méi kànjiàn shāngdiàn.
我看见商店了。/我没看见商店。

Kāichē de nàge rén shì nǐ de péngyou ma?
开车的那个人是你的朋友吗?

Kāichē de nàge rén shì wǒ de péngyou. / Kāichē de nàge rén bú shì wǒ de péngyou.
开车的那个人是我的朋友。/开车的那个人不是我的朋友。

Nǐ zěnme lái běijīng le?
你怎么来北京了?

Wǒ …
我……

Nǐ zěnme lái běijīng de?
你怎么来北京的?

Wǒ …
我……

Shū shàng(mian) shì shénme?
书上(面)是什么?

Shū shàng(mian) shì …
书上(面)是……

Bēizi xiàmian shì shénme?
杯子下面是什么?

Bēizi xiàmian shì …
杯子下面是……

Nǐ shàng shāngdiàn ma?
你上商店吗?

Wǒ shàng shāngdiàn. / Wǒ bú shàng shāngdiàn.
我上商店。/我不上商店。

Xià chē hòu, qiánmian shì shénme?
下车后,前面是什么?

Xià chē hòu, qiánmian shì …
下车后,前面是……

Nǐ xué kāi qìchē le ma?
你学开汽车了吗?

Wǒ xué kāi qìchē le. / Wǒ méi xué kāi qìchē.
我学开汽车了。/我没学开汽车。

Nǐ dào nǎ ér xiàchē?
你到哪儿下车?

Wǒ dào …
我到……

Nǐ shì zǒu qù xuéxiào de ma?
你是走去学校的吗?

Wǒ shì zǒu qù xuéxiào de. / Wǒ bú shì zǒu qù xuéxiào de.
我是走去学校的。/我不是走去学校的。

IV. Notes

1. zěnme
怎么

(1) why

Example: Nǐ zěnme lái le?
你怎么来了?

Why did you come here?

(2) how

Example: Nǐ zěnme lái de?
你怎么来的?

How did you get here?

2. shàng
上

(1) a preposition

Example: zài chē shang
在车上 in the vehicle

(2) to go

Example: shàng shāngdiàn
上商店 to go to a shop

(3) get on

Example: shàng chē
上车 to get in a vehicle

(4) to have

Example: shàngkè
上课 to have class

3. *Particular interrogative sentence*

A special question in the Chinese language calls for the use of 哪儿 (nǎr), 什么 (shénme), and other similar words. The order is the same as a declarative sentence, but 吗 (ma) is not needed.

Example: Qù huǒchēzhàn zěnme zǒu?
去火车站怎么走?

Qiánmian shì shénme?
前面是什么?

Fēijīchǎng zài nǎr?
飞机场在哪儿?

V. Phonetic drills

1. *Read the following words: 2nd tone+2nd tone*

huídá biétí qínxián yínyuán shénqíng

píxié niánlíng értóng liúxué fáng qián

2. *Read the following words: 2nd tone+3rd tone*

yóuyǒng dúdǒng héshuǐ yúnduǒ méiyǒu

yuánbǎo jiéguǒ píjiǔ máobǐ cídiǎn

3. *Read the following words: 2nd tone+4th tone*

xuéxiào fúwù gémìng áoyè huíyì

qiángliè láodòng zhéshè yúkuài wénhuà

VI. Characters

huǒ	chē	zhàn	qián	miàn	péng	yǒu	zū	fēi
火	车	站	前	面	朋	友	租	飞
jī	zuò	kāi	rèn	shí	chū	chǎng	zhàn	
机	坐	开	认	识	出	场	站	

zhàn
站 : stand

Most characters with the radical 立 (lì) relate to someone or something standing. 占 (zhàn) is the phonetic component.

péng
朋 *: friend

Characters with the radical 月 (yuè) on the right side relate to the moon or a month. 月 (yuè) on the left side of a character relates to the body.

Memory Aid: A person who comes to visit every month will become a friend.

zū
租 : to rent

Characters with the radical 禾 (hé) relate to the growing of crops.

Memory Aid: People can lease farmland to grow crops.

jī
机 : machine

Characters with the radical 木 (mù) relate to trees or wood. 几 (jī) is the phonetic component.

Memory Aid: Ancient machines were made of wood.

zuò
坐 : to sit

Most characters with the radical 土 (tǔ) relate to the soil. 从 (cóng) symbolizes two people.

Memory Aid: Two people are sitting together on the ground.

rèn
认 : to recognize

讠 is a variant of 言 (yán). Characters with the radical 讠 relate to language. 人 (rén) is the phonetic component.

Memory Aid: Recognition can be expressed through language.

识 (shí): to know

讠 is a variant of 言 (yán). Characters with the radical 讠 relate to language. 只 (zhī) is the phonetic component.

Memory Aid: Usually one speaks to a person one knows.

 VII. Exercises

1. Listening Comprehension

(1) Listen to the recording and decide whether the situations in the pictures below are correct or incorrect. If they are correct, please mark them with a check. If they are incorrect, please mark them with an X.

①		
②		

(2) Listen to the recording and check the correct answer in each group.

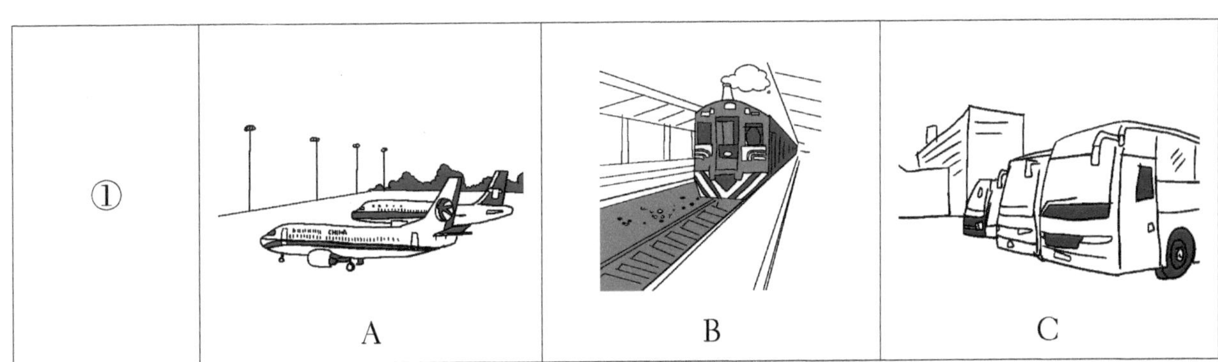

①	A	B	C

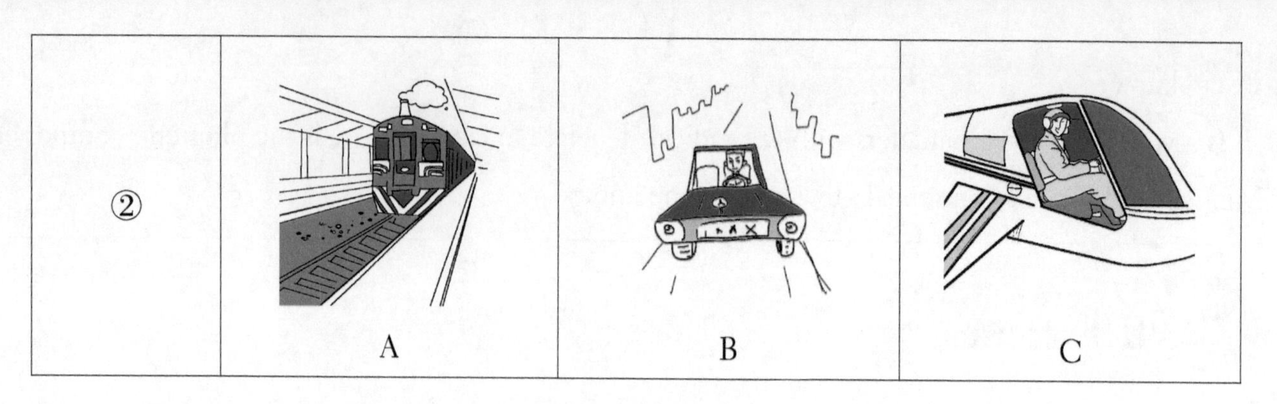

(3) Listen to the recording and fill in A or B for each dialogue.

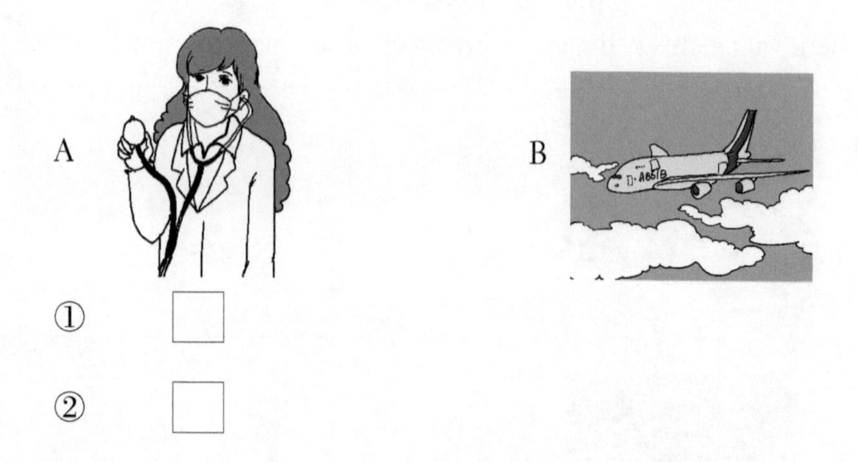

① ☐

② ☐

(4) Listen to the recording and check the correct answer in each group.

① A huǒchē 火车　　B fēijī 飞机

② A chūzūchē 出租车　　B péngyou 朋友

2. *Reading Comprehension*

(1) Read and decide whether the situations in the pictures below are correct or incorrect. If they are correct, please mark them with a check. If they are incorrect, please mark them with an X.

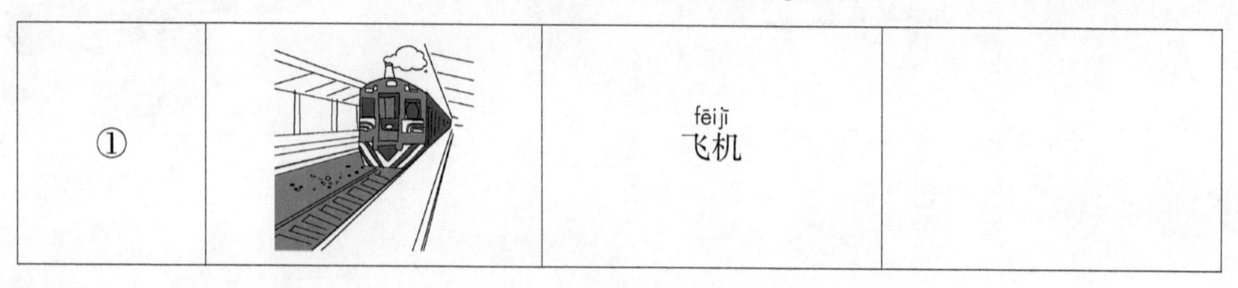

②		huǒchēzhàn 火车站	

(2) Read the following sentences and fill in A or B for each sentence.

A B

① Qiánmian shì yí ge fàndiàn.
前面是一个饭店。 □

② Wǒ kànjiànle wǒ de yí ge hǎo péngyou.
我看见了我的一个好朋友。 □

(3) Read and fill in A or B to complete the dialogues.

① Wǒ zuò chūzūchē jǐ diǎn kěyǐ dào fēijīchǎng?
我坐出租车几点可以到飞机场？ □

② Huǒchēzhàn hòumian yǒu shāngdiàn ma?
火车站后面有商店吗？ □

A Yǒu.
有。

B Xiàwǔ sān diǎn.
下午三点。

(4) Read and fill in A or B to complete the sentences.

A rènshi 认识　　B kànjiàn 看见

① Wǒ (　　) kāichē de rén.
我(　　)开车的人。

② (　　) wǒ hòumian shì shénme le ma?
(　　)我后面是什么了吗？

3. *Read the characters and then the dialogue.*

火　车　站　前　面　朋　友　租　飞

机　坐　开　认　识　出　场　站

A：你和我去火车站，好吗？

B：去火车站做什么？

A：我们去看我的朋友。

B：你朋友在火车站工作吗？

A：是的。

B：你们是怎么认识的？

A：我们是在飞机上认识的。你看见出租车了吗？我们坐出租车去。

A：我没看见出租车，我们可以开车去。

B：你今天开车了吗？

A：我开了，车在前面。

B：好。我坐你的车去。

Lesson Eight What is the weather like?

I. New words

xiàyǔ 下雨 to rain　nǚ'ér 女儿 daughter　tā 她 she　wèi 喂 hi　dǎ diànhuà 打电话 make a call　shéi 谁 who, whom

huí 回 to return　tīng 听 to listen　gāoxìng 高兴 happy　tiānqì 天气 weather　shuō 说 to say, to speak

Supplementary words

huílai 回来 to come back　huíqù 回去 to go back　zuòfàn 做饭 cook　chūqu 出去 go out

II. Dialogue

dǎ diànhuà
（打电话）

Wèi, nǐ hǎo. Qǐng wèn, nǐ shì shéi?
A：喂，你好。请问，你是谁？

Wèi, shì wǒ. Nǐ jīntiān jǐ diǎn huí jiā? Nǚ'ér dǎ diànhuà le, tā shuō míngtiān huí guó.
B：喂，是我。你今天几点回家？女儿打电话了，她说明天回国。

Wǒ wǔ diǎn huíqù. Nǐ dǎ diànhuà tīngting míngtiān tiānqì zěnmeyàng.
A：我五点回去。你打电话听听明天天气怎么样。

Wǒ tīng le, míngtiān xiàyǔ.
B：我听了，明天下雨。

Tiānqì bù hǎo.
A：天气不好。

Yǔ bú dà, hěn xiǎo.
B：雨不大，很小。

Nǚ'ér huílai wǒ hěn gāoxìng. Wǒmen jīntiān zài jiā zuòfàn chī, míngtiān wǒmen chūqù chīfàn.
A：女儿回来我很高兴。我们今天在家做饭吃，明天我们出去吃饭。

Hǎo de.
B：好的。

III. Question and answer practice

Jīntiān xiàyǔ ma?
今天下雨吗？

Jīntiān xiàyǔ. / Jīntiān bú xiàyǔ.
今天下雨。/今天不下雨。

Míngtiān tiānqì zěnmeyàng?
明天天气怎么样？

Míngtiān tiānqì hěn hǎo. /Míngtiān tiānqì bù hǎo.
明天天气很好。/明天天气不好。

Nǐ zài tīng shénme?
你在听什么？

Wǒ zài tīng …
我在听……

Nǐ Jīntiān dǎ diànhuà le ma?
你今天打电话了吗？

Wǒ Jīntiān dǎ diànhuà le. /Wǒ Jīntiān méi dǎ diànhuà.
我今天打电话了。/我今天没打电话。

Nǐ jǐ diǎn lái de?
你几点来的？

Wǒ … diǎn lái de.
我……点来的。

Nǐ nǚ'ér zuótiān (dǎ) lái diànhuà le ma?
你女儿昨天（打）来电话了吗？

Wǒ nǚ'ér zuótiān (dǎ) lái diànhuà le. / Wǒ nǚ'ér zuótiān méi (dǎ) lái diànhuà.
我女儿昨天（打）来电话了。/我女儿昨天没（打）来电话。

Shéi (dǎ) lái de diànhuà?
谁（打）来的电话？

… (dǎ) lái de diànhuà.
……（打）来的电话。

Tā shì shéi?
她是谁？

Tā shì …
她是……

Wèi, nǐ shì shéi?
喂，你是谁？

Wǒ shì …
我是……

Nǐ jīntiān jǐ diǎn huí jiā?
你今天几点回家？

Wǒ jīntiān … diǎn huí jiā.
我今天……点回家。

Nǐ shuō le shénme?
你说了什么？

Wǒ shuō le …
我说了……

Zuótiān nǐ gāoxìng ma?
昨天你高兴吗？

Zuótiān wǒ hěn gāoxìng. / Zuótiān wǒ bù gāoxìng.
昨天我很高兴。/昨天我不高兴。

IV. Notes

1. ne 呢

(1) and you (he, she, me)?

Wǒ hěn hǎo. Nǐ ne? Nǐ hǎo ma?
我很好。你呢？（= 你好吗？）

(2) used for an on-going action

Wǒ zài gōngzuò ne!
我在工作呢！

(3) modal particle with no exact meaning

Example: Bàba, wǒ zài zhèr ne.
爸爸，我在这儿呢。

Zhè shì shéi de shū ne?
这是谁的书呢？

2. lái 来 *and* qù 去 *after the verb show direction.*

Example: huílai 回来 to come back

huíqù 回去 to go back

3. yào 要

(1) want

Example: Wǒ yào hē shuǐ.
我要喝水。

(2) will

Example: Míngtiān yào xiàyǔ.
明天要下雨。

(3) need/should

Example: Nǐ yào hǎohǎo gōngzuò.
你要好好工作。

V. Phonetic drills

1. *Read the following words: 2nd tone + neutral tone*

bíe de péngyou fúqi mántou liángkuai
píngzi chuán shang shénme gége pútao

2. *Read the following words: 3rd tone + 1st tone*

Běijīng cǎizhāi dǔchē qǐfēi guǒzhī
shǒujī jiětuō hěn xiāng kǎoyā nǚ bīng

3. *Read the following words: 3rd tone + 2nd tone*

běnlái xiǎoshí dǒngdé dǐngjí fǎncháng
fǒujué yǒumíng jiǎ qián kěnéng lǚyóu

VI. Characters

yǔ 雨	tā 她	nǚ 女	wèi 喂	dǎ 打	diàn 电	huà 话
shéi 谁	huí 回	lái 来	tīng 听	qì 气	gāo 高	xìng 兴

tā 她 : she

Most characters with the radical nǚ 女 relate to the female sex.

wèi 喂 : hello

Characters with the radical kǒu 口 relate to the mouth. wèi 畏 is the phonetic component.

Memory Aid: When saying hello it is necessary to open the mouth.

dǎ 打 : to strike, to hit

扌 evolved from shǒu 手 . Characters with the radical 扌 relate to actions of hands.

huà 话 : words

讠 is a variant of yán 言 . Characters with the radical 讠 relate to language. shé 舌 means tongue.

Memory Aid: When speaking, one moves the tongue.

shéi 谁 *: who

讠 is a variant of yán 言 . Characters with the radical 讠 relate to language.

Memory Aid: Language is needed to ask who someone is.

tīng
听 *: to listen

Characters with the radical 口 (kǒu) relate to the mouth. 斤 (jīn) is the phonetic component.

Memory Aid: One listens to the words that come from another person's mouth.

VII. Exercises

1. Listening Comprehension

(1) Listen to the recording and decide whether the situations in the pictures below are correct or incorrect. If they are correct, please mark them with a check. If they are incorrect, please mark them with an X.

(2) Listen to the recording and check the correct answer in each group.

②	A	B	C

(3) Listen to the recording and fill in A or B for each dialogue.

① ☐

② ☐

(4) Listen to the recording and check the correct answer in each group.

① A 下雨 (xiàyǔ) B 很好 (hěn hǎo)

② A 你女儿 (nǐ nǚ'ér) B 你 (nǐ)

2. *Reading Comprehension*

(1) Read and decide whether the situations in the pictures below are correct or incorrect. If they are correct, please mark them with a check. If they are incorrect, please mark them with an X.

①		dǎ diànhuà 打电话	

②		nǚ'ér 女儿	

(2) Read the following sentences and fill in A or B for each sentence.

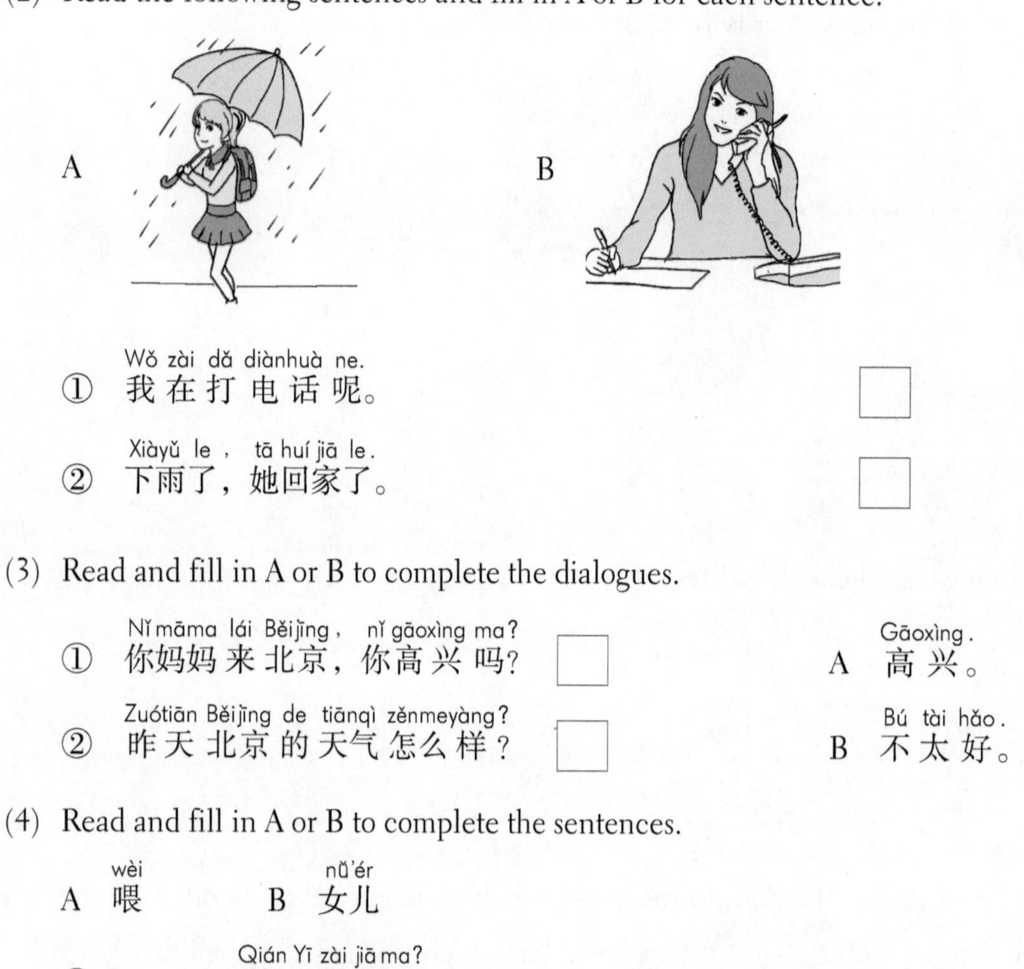

A B

① Wǒ zài dǎ diànhuà ne. 我在打电话呢。 □

② Xiàyǔ le, tā huí jiā le. 下雨了，她回家了。 □

(3) Read and fill in A or B to complete the dialogues.

① Nǐ māma lái Běijīng, nǐ gāoxìng ma? 你妈妈来北京，你高兴吗？ □

② Zuótiān Běijīng de tiānqì zěnmeyàng? 昨天北京的天气怎么样？ □

A Gāoxìng. 高兴。

B Bú tài hǎo. 不太好。

(4) Read and fill in A or B to complete the sentences.

A wèi 喂　　B nǚ'ér 女儿

① (　　)，Qián Yī zài jiā ma? 钱一在家吗？

② Nǐ (　　) jiào shénme míngzi? 你（　　）叫什么名字？

3. *Read the characters and then the dialogue.*

雨　她　女　喂　打　电　话　谁　回

来　听　气　高　兴

A：今天天气怎么样？

B：很好。

A：我和女儿去商店，你去吗？

B：我去。我们上午去吗？我们几点去？

A：我们十点去。

B：我们坐出租汽车去吗？

A：不，我们开车。

B：女儿在哪儿？

A：她在你后面。

C：爸爸，我在这儿呢！

A：我们现在走，我去开车。

B：好。

……

B：喂，你怎么回来了？

A：下雨了。我们不去了。

B：那我们做什么呢？

A：我们在家做饭吃，好吗？

B：我们做中国饭，叫你的朋友来我们家吃。

A：好。

……

A：我的朋友说很高兴来我们家吃饭。

B：你哪些朋友来我们家？

A：什么？

B：谁来我们家？

A：你都认识，有四个朋友。

B：好，我们要做六个菜。

Lesson Nine What do you do?

I. New words

yīshēng 医生 doctor　lǎoshī 老师 teacher　dú 读 to read　huì 会 can; will　yìdiǎnr 一点儿 a little; a few

néng 能 can; to be able to　duō 多 many, much　shǎo 少 little, few　zhù 住 to live　lǐ 里 in, inside　érzi 儿子 son

duìbuqǐ 对不起 sorry; excuse me　méi guānxi 没关系 it doesn't matter　tā 他 he, him

Supplementary words

tiāntiān 天天 every day　shuōhuà 说话 to talk　Hànzì 汉字 Chinese character　tīngshuō 听说 hear about

II. Dialogue

Nǐ shì yīshēng ma?
A：你是医生吗？

Wǒ shì yīshēng. Nǐ zuò shénme gōngzuò?
B：我是医生。你做什么工作？

Wǒ shì lǎoshī.
A：我是老师。

Lǎoshī yào shuō hěn duō huà. Nǐ yǒu duōshao ge xuésheng?
B：老师要说很多话。你有多少个学生？

Wǒ yǒu sìshí ge xuésheng, tāmen dōu bú shì Zhōngguórén. Wǒmen tiāntiān dúshū, xiězì, hěn gāoxìng.
A：我有四十个学生，他们都不是中国人。我们天天读书，写字，很高兴。

Nǐ de xuésheng bù shǎo. Tāmen huì shuō Hànyǔ le ma, huì xiě duōshao gè Hànzì?
B：你的学生不少。他们会说汉语了吗，会写多少个汉字？

Tāmen xiànzài huì shuō yìdiǎnr Hànyǔ, néng xiě jǐshí ge Hànzì le.
A：他们现在会说一点儿汉语，能写几十个汉字了。

Nǐ zhù zài nǎr?
B：你住在哪儿？

Wǒ zhù zài xuéxiào li.
A：我住在学校里。

Duìbuqǐ, wǒ érzi jiào wǒ, wǒ huí jiā le.
B：对不起，我儿子叫我，我回家了。

Méi guānxi! Zàijiàn!
A：没关系！再见！

III. Question and answer practice

Tā shì nǐ érzi ma?
他是你儿子吗？

Tā shì wǒ érzi. / Tā bú shì wǒ érzi.
他是我儿子。/他不是我儿子。

Nǐ érzi zuò shénme gōngzuò?
你儿子做什么工作？

Wǒ érzi …
我儿子……

Nǐ shì yīshēng ma?
你是医生吗?

Wǒ shì yīshēng. / Wǒ bú shì yīshēng.
我是医生。/我不是医生。

Nǐ de lǎoshī jiào shénme míngzi?
你的老师叫什么名字?

Wǒ de lǎoshī jiào …
我的老师叫……。

Míngtiān nǐ huì lái ma?
明天你会来吗?

Míngtiān wǒ huì lái. / Míngtiān wǒ bú huì lái.
明天我会来。/明天我不会来。

Jīntiān shì bú shì yǒu yìdiǎnr lěng?
今天是不是有一点儿冷?

Jīntiān hěn lěng. / Jīntiān shì yǒu yìdiǎnr lěng. / jīntiān bù lěng.
今天很冷。/今天是有一点儿冷。/今天不冷。

Nǐ huì shuō Hànyǔ ma?
你会说汉语吗?

Wǒ huì shuō Hànyǔ. / Wǒ huì shuō yìxiē Hànyǔ. / Wǒ huì shuō yìdiǎnr Hànyǔ. / Wǒ bú huì shuō Hànyǔ.
我会说汉语。/我会说一些汉语。/我会说一点儿汉语。/我不会说汉语。

Nǐ zài dú shénme shū?
你在读什么书?

Wǒ zài dú …
我在读……

Nǐ rènshi Hànzì ma?
你认识汉字吗?

Wǒ rènshi Hànzì. / Wǒ bú rènshi Hànzì.
我认识汉字。/我不认识汉字。

Míngtiān nǐ néng lái ma?
明天你能来吗?

Míngtiān wǒ néng lái. / Míngtiān wǒ bù néng lái.
明天我能来。/明天我不能来。

Nǐ zhù zài nǎr?
你住在哪儿?

Wǒ zhù zài …
我住在……

Nǐ jiā li rén duō ma?
你家里人多吗?

Wǒ jiā li rén hěn duō. / Wǒ jiā li rén bù duō. / Wǒ jiā li rén hěn shǎo.
我家里人很多。/我家里人不多。/我家里人很少。

Nǐ de péngyou duō ma?
你的朋友多吗?

Wǒ de péngyou hěn duō. / Wǒ de péngyou bù duō.
我的朋友很多。/我的朋友不多。

Nǐ érzi huì shuōhuà le ma?
你儿子会说话了吗?

Wǒ érzi huì shuōhuà le. / Wǒ érzi bú huì shuōhuà.
我儿子会说话了。/我儿子不会说话。

Nǐ tiāntiān qī diǎn dào xiào ma?
你天天七点到校吗?

Wǒ tiāntiān qī diǎn dào xiào. / Wǒ bú shì tiāntiān qī diǎn dào xiào.
我天天七点到校。/我不是天天七点到校。

Duìbuqǐ.
对不起。

Méi guānxi.
没关系。

IV. Notes

1. huì
会

(1) can (have a skill)

Tā huì shuō Hànyǔ.
Example: 他会说汉语。

(2) will

Tā míngtiān huì qù xuéxiào.
Example: 他明天会去学校。

2. néng
能

(1) can (have the capability)

Tā néng shuō Hànyǔ
Example: 他能说汉语。

(2) to be able to (possibility)

Tā néng qù xuéxí
Example: 他能去学习。

3. le
了

(1) used for an action past

wǒ qù le shāngdiàn.
Example: 我去了商店。

(2) le 了 is used when a situation has changed.

Xiànzài wǒ néng shuō hěn duō Hànyǔ le
Example: 现在我能说很多汉语了。

(This sentence indicates that previously, I could not speak much Chinese.)

(3) used for an action completed

Wǒ xuéle sì běn Hànyǔ shū.
Example: 我学了四本汉语书。

Wǒ xuéle yì nián Hànyǔ
我学了一年汉语。

(4) modal particle with no exact meaning

Tài hǎo le!
Example: 太好了！

4. *We can put* le 了, hěnduō 很多 *etc. between two characters of certain words, but these types of particles cannot follow objects.*

Wǒ zhèng shuōhuà ne.
Example: 我正说话呢。

Wǒ shuōle huà.
我说了话。

Wǒ shuōguo huà.
我说过话。

Lǎoshī yào shuō hěn duō huà.
老师要说很多话。

Wǒ hé tā shuō le huà.
我和她说了话。Right

Wǒ shuō le huà tā.
我说了话她。 Wrong

5. yǒu (yì) diǎnr
有（一）点儿 *have a little*

Placed in front of an adjective, it is usually used before a negative meaning and yì 一 may be omitted.

Dōngxi yǒu yìdiǎnr duō.
Example: 东西有一点儿多。

Jīntiān yǒudiǎnr lěng.
今天有点儿冷。

V. Phonetic drills

1. *Read the following words: 3rd tone + 3rd tone*

zǒnglǐ měihǎo shuǐguǒ xǐzǎo

shǒubiǎo wǎnzhuǎn gǔzhǎng huǒjǐng

guǎngchǎng liǎojiě

2. *Read the following words: 3rd tone + 4th tone*

zhǔnbèi děnghòu qǐng zuò fǎnzhèng kǎoshì

xiǎngxiàng huǐhèn zǒulù bǐsài chūjìng

3. *Read the following words: 3rd tone + neutral tone*

wǎnshang wǒmen xǐhuan yǎnjing zuǒbian

běnzi ěrduo jiějie xǐng le liǎng ge

4. *Read the following words: 4th tone + 1st tone*

chuànshāo shàngbān làjiāo dàjiā wàiyī

qìchē jiànkāng huì shuō tiào cāo xiù huār

VI. Characters

lǎo	shī	shuō	dú	huì	néng	zhù
老	师	说	读	会	能	住
lǐ	duì	qǐ	guān	xì	tā	
里	对	起	关	系	他	

shuō
说 : to talk, to speak

讠 is a variant of 言 (yán). Characters with the radical 讠 relate to language.

Memory Aid: Words are spoken out.

dú
读 : to read

讠 is a variant of 言 (yán). Characters with the radical 讠 relate to language.

Memory Aid: Reading involves language.

huì
会 : meeting

Characters with the radical 人 (rén) mainly relate to people. 云 (yún) means cloud.

zhù
住 : to live

亻 evolved from 人 (rén), characters with the radical 亻 mostly relate to human beings and their attributes.

Memory Aid: People live somewhere.

duì
对 : right

Most characters with the radical 又 (yòu) relate to movement of the hand.

Memory Aid: The hand can be used to show an affirmative gesture to indicate that something is correct.

qǐ
起 : to get up; to rise

Characters with the radical 走 (zǒu) relate to walking quickly. 己 (jǐ) is the phonetic component.

tā
他 : he, him

亻 evolved from 人 (rén). Characters with the radical 亻 mostly relate to human beings and their attributes.

VII. Exercises

1. Listening Comprehension

(1) Listen to the recording and decide whether the situations in the pictures below are correct or incorrect. If they are correct, please mark them with a check. If they are incorrect, please mark them with an X.

①		
②		

(2) Listen to the recording and check the correct answer in each group.

(3) Listen to the recording and fill in A or B for each dialogue.

A 

B 

① ☐

② ☐

(4) Listen to the recording and check the correct answer in each group.

① A 学校里 (xuéxiào li) B 前面 (qiánmian)

② A 我 (wǒ) B 你 (nǐ)

2. *Reading Comprehension*

(1) Read and decide whether the situations in the pictures below are correct or incorrect. If they are correct, please mark them with a check. If they are incorrect, please mark them with an X.

①		shuōhuà 说话	
②		píngguǒ shǎo 苹果少	

(2) Read the following sentences and fill in A or B for each sentence.

A 

B 

Wǒ shì yīshēng, wǒ hěn ài wǒ de gōngzuò.
① 我是医生，我很爱我的工作。 ☐

Tāmen zài shuōhuà ne.
② 他们在说话呢。 ☐

(3) Read and fill in A or B to complete the dialogues.

Nǐ yǒu duōshao gè xuésheng?
① 你有多少个学生？ ☐

Nǐ de xuéshēng huì xiě Hànzì ma?
② 你的学生会写汉字吗？ ☐

Sìshí duō ge.
A 四十多个。

Huì xiě yìxiē.
B 会写一些。

(4) Read and fill in A or B to complete the sentences.

gōngzuò / duìbuqǐ
A 工作　　B 对不起

lǎoshī, wǒ jīntiān bù néng qù xuéxiào
① (　　)，老师，我今天不能去学校。

Nǐ zuò shénme
② 你做什么(　　)?

3. *Read the characters and then the dialogue.*

老　师　说　读　会　能　住　里

起　关　系　他

A：老师好！

B：你好！你星期六和星期天读书了吗？

A：读了。星期六，我读了一本书，很好看。星期天，我爸爸的一个中国朋友来我家，我和他说了一天话。现在我能说很多汉语了。

B：很好。你爸爸的朋友是医生吗？

A：是的，他和我爸爸在一个医院工作。他昨天住在我家了。

B：你爸爸的朋友是中国哪儿人？

A：他是北京人，他会做北京菜，很好吃。

B：你今天说的汉语都很好。

A：谢谢老师！

B：不客气。

A：老师，对不起，我要走了。

B：没关系。再见！

Lesson Ten What are you doing?

I. New words

diànshì 电视 television　diànnǎo 电脑 computer　xǐhuan 喜欢 to like　diànyǐng 电影 movie　xiǎng 想 would like, to think, to miss

zhuōzi 桌子 table　yǐzi 椅子 chair

Supplementary words

de shíhòu ……的时候 when...　diànyǐngyuàn 电影院 cinema

II. Dialogue

Nǐ zài zuò shénme ne?
A: 你在做什么呢?

Wǒ zài kàn diànshì ne.
B: 我在看电视呢。

Érzi zài jiā ma?
A: 儿子在家吗?

Zài jiā.
B: 在家。

Tā zài zuò shénme?
A: 他在做什么?

Tā zài diànnǎo shang kàn tā xǐhuan de diànyǐng.
B: 他在电脑上看他喜欢的电影。

Wǒ chūqù mǎi dōngxi, nǐ xiǎng qù ma?
A: 我出去买东西，你想去吗?

Nǐ qù mǎi shénme?
B: 你去买什么?

Wǒ qù mǎi zhuōzi hé yǐzi.
A: 我去买桌子和椅子。

Wǒ bú qù le. Wǒ hé érzi zài jiā. Nǐ kěyǐ zài kànkan yīfu.
B: 我不去了。我和儿子在家。你可以再看看衣服。

Hǎo de.
A: 好的。

III. Question and answer practice

Nǐ yǒu diànnǎo ma?
你有电脑吗?

Wǒ yǒu diànnǎo. / Wǒ méiyǒu diànnǎo.
我有电脑。/我没有电脑。

Wǒ zuòfàn de shíhou, nǐ zuò shénme ne?
我做饭的时候，你做什么呢?

Nǐ zuòfàn de shíhou, wǒ …
你做饭的时候，我……

Nǐ xǐhuan xué Hànyǔ ma?
你喜欢学汉语吗?

Wǒ xǐhuan xué Hànyǔ. / Wǒ bù xǐhuan xué Hànyǔ.
我喜欢学汉语。/我不喜欢学汉语。

Nǐ xǐhuan kàn shénme diànyǐng?
你喜欢看什么电影?

Wǒ xǐhuan kàn …
我喜欢看……

Nǐ jiā de diànshì shì duōshao qián mǎi de?
你家的电视是多少钱买的？

Wǒ jiā de diànshì shì … mǎi de.
我家的电视是……买的。

Wǒ tīngshuō, nǐ xiǎng tiāntiān kàn diànshì, shì ma?
我听说，你想天天看电视，是吗？

Shì de, wǒ xiǎng tiāntiān kàn diànshì. / Bú shì, wǒ méi xiǎng tiāntiān kàn diànshì.
是的，我想天天看电视。/不是，我没想天天看电视。

Zhè shì nǐ de zhuōzi ma?
这是你的桌子吗？

Zhè shì wǒ de zhuōzi. /Zhè bú shì wǒ de Zhuōzi.
这是我的桌子。/这不是我的桌子。

Nà shì lǎoshī de yǐzi ma?
那是老师的椅子吗？

Nà shì lǎoshī de yǐzi. / Nà bú shì lǎoshī de yǐzi.
那是老师的椅子。/那不是老师的椅子。

Nǐ xiǎng nǐ jiārén ma?
你想你家人吗？

Wǒ xiǎng wǒ jiārén. / Wǒ bù xiǎng wǒ jiārén.
我想我家人。/我不想我家人。

Diànyǐngyuàn zài nǎr?
电影院在哪儿？

Diànyǐngyuàn zài …
电影院在……

Nǐ zài xiǎng shénme?
你在想什么？

Wǒ zài xiǎng …
我在想……

IV. Notes

1. yào……le 要……了: *to be going to; to be about to*

Example: Érzi yào huí jiā le 儿子要回家了。

2. yào 要

(1) The meaning of "xiǎng yào 想要 + verb", "yào 要 + verb", "xiǎng 想 + verb" are all "want to", but xiǎng 想 often indicates a desire that remains only a wish, while yào 要 indicates a determined action.

Example: Wǒ xiǎng yào hē yì bēi chá. 我想要喝一杯茶。

Wǒ yào hē yì bēi chá. 我要喝一杯茶。

Wǒ xiǎng hē yì bēi chá. 我想喝一杯茶。

(2) The negative form of xiǎng 想 is more commonly used than that of yào 要.

Example: Wǒ bù xiǎng hē chá. 我不想喝茶。

3. zài 再

(1) again

Example: Zàijiàn! 再见！

míngtiān wǒ zài qù nàge shāngdiàn. 明天我再去那个商店。

(2) verb/time+ zài 再 + verb then, after that

The pattern indicates that the second action takes place after the first action or is completed after a period of time.

Nǐ chīle fàn zài qù shāngdiàn.
Example: 你吃了饭再去商店。

Wǒ èrshí fēnzhōng hòu zài qù shāngdiàn
我二十分钟后再去商店。

shénme shíhou, ... de shíhou
4. 什么时候，……的时候

shénme shíhou
(1) 什么时候 is used in particular interrogative sentences.

Wǒmen shénme shíhou huílai?
Example: 我们什么时候回来？

de shíhou
(2) …的时候 is used in complex sentence.

Tā wǎnshang lái diànhuà de shíhou wǒmen néng huílai ma?
Example: 他晚上来电话的时候我们能回来吗？

V. Phonetic drills

1. Read the following phrases: 4th tone + 2nd tone

Hànzú jià rén kètáng tàijí wèntí

xìngmíng èdú qùnián àiqíng quèshí

2. Read the following phrases: 4th tone + 3rd tone

xiàyǔ sì xǐ shàngwǔ Rìběn nàlǐ

jiàodǎo Hànyǔ huì zǒu fànguǎnr diànnǎo

3. Read the following phrases: 4th tone + 4th tone

zuòfàn tài kuài shuìjiào shàngkè fàngqì

liù suì jiànshè diànshì zàijiàn hòumiàn

4. Read the following phrases: 4th tone + neutral tone

qù ba xièxie yuèliang shì de rènshi

piàoliang duìle rènao bàba xiàozhe

VI. Characters

shì nǎo yǐng xǐ huān xiǎng zhuō yǐ
视 脑 影 喜 欢 想 桌 椅

shì
视 : to look at

shì
礻 evolved from 示. Characters with the radical 礻 relate to something being shown or revealed.

jiàn shì
见 means to see. 示 is also the phonetic component.

nǎo
脑 : brain

yuè
Characters with the radical 月 on the left side relate to the body.

Memory Aid: The brain is a part of the body.

yǐng
影 : shadow

Characters with the radical 彡 relate to hair and rays of light, 彡 is a pictograph representing rays of light. 景 (jǐng) is the phonetic component.

Memory Aid: When there is light, there will also be shadow.

huān
欢 : happy

Most characters with the radical 又 (yòu) relate to the movement of the hand.

xiǎng
想 : to think

Characters with the radical 心 (xīn) relate to mental activities. 相 (xiāng) is the phonetic component.

Memory Aid: To think is a mental activity.

mù
木 : tree

Characters with the radical 木 (mù) relate to trees or wood.

zhuō
桌 : table

Memory Aid: Tables are usually made of wood.

yǐ
椅 : chair

Memory Aid: Chairs are usually made of wood.

VII. Exercises

1. Listening Comprehension

(1) Listen to the recording and decide whether the situations in the pictures below are correct or incorrect. If they are correct, please mark them with a check. If they are incorrect, please mark them with an X.

(2) Listen to the recording and check the correct answer for each statement.

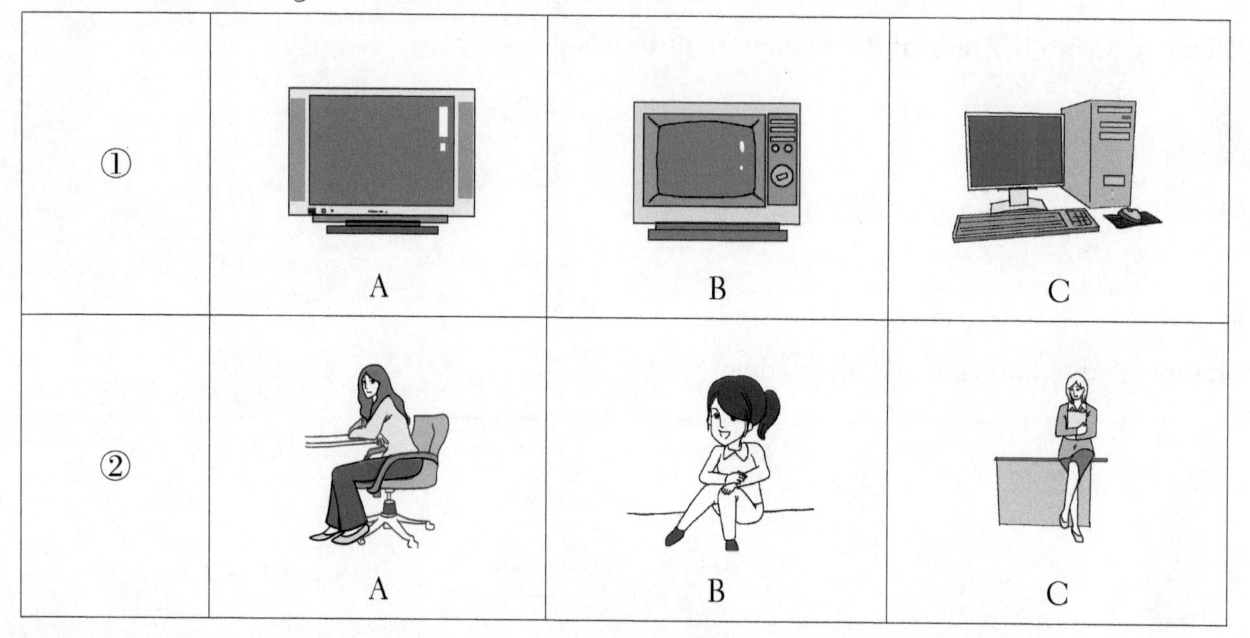

(3) Listen to the recording and fill in A or B for each dialogue.

A 

B 

① □

② □

(4) Listen to the recording and check the correct answer in each group.

①	A diànnǎo shang 电脑 上	B diànyǐngyuàn 电影院
②	A yīfu 衣服	B zhuōzi 桌子

2. *Reading Comprehension*

(1) Read and decide whether the situations in the pictures below are correct or incorrect. If they are correct, please mark them with a check. If they are incorrect, please mark them with an X.

①		diànnǎo 电脑	
②		kàn diànshì 看电视	

(2) Read the following sentences and fill in A or B for each sentence.

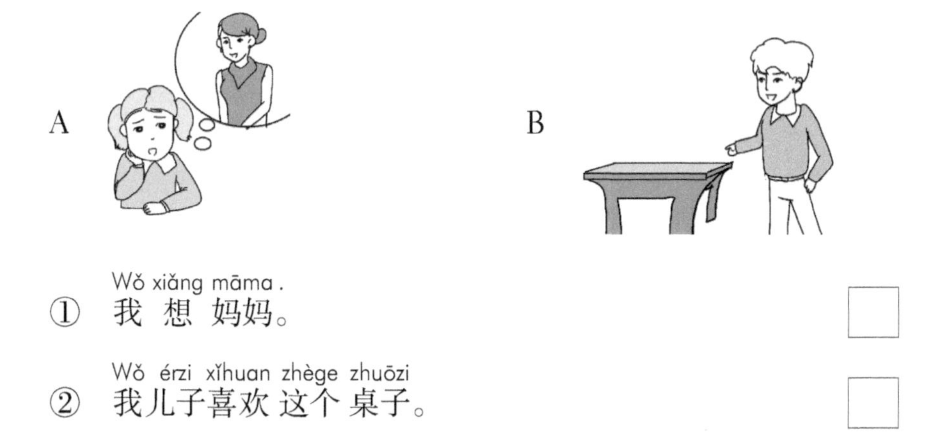

① Wǒ xiǎng māma. 我想妈妈。 □

② Wǒ érzi xǐhuan zhège zhuōzi 我儿子喜欢这个桌子。 □

(3) Read and fill in A or B to complete the dialogues.

① Nǐ xiǎng yào nǎge zhuōzi? 你想要哪个桌子？	☐	A	Zhège. 这个。
② Tā xǐhuan shénme diànyǐng? 他喜欢什么电影？	☐	B	《Ài》. 《爱》。

(4) Read and fill in A or B to complete the sentences.

A xiǎng 想　　B xǐhuan 喜欢

① Māma, wǒ (　　) hé nǐ qù mǎi dōngxi.
妈妈，我（　　）和你去买东西。

② Wǒ zài diànnǎo shang kàn wǒ (　　) de diànyǐng.
我在电脑上看我（　　）的电影。

3. *Read the characters and then the dialogue.*

视　脑　影　喜　欢　想　桌　椅

A：你想看电影吗？

B：想。我们在电脑上看电影吗？

A：不，我们去电影院看。电脑上的电影不好看。

B：我想在家看。电视里有电影，我们看看有没有好看的。

A：去电影院看好，我们再去买些东西。

B：好，你喜欢什么电影？

A：听说有一个好电影，叫《爱》，我们去看看。

B：名字很好，会很好看。

A：那我们现在去。

B：好。

A：你想买什么？

B：我想买件衣服。我想去一个大商店买衣服。

A：儿子要回家了，我要买他喜欢的桌子和椅子。

B：我有点儿想他，他下午回家的时候我们能回来吗？

A：能。

Appendices

Listening Comprehension Transcript

Lesson One

(1) ① 你好 (nǐ hǎo)

② 去商店 (qù shāngdiàn)

(2) ① 我去医院工作。(Wǒ qù yīyuàn gōngzuò.)

② Male: 你去哪儿? (Nǐ qù nǎr?)

Female: 我去商店。(Wǒ qù shāngdiàn.)

(3) ① Female: 你叫什么名字? (Nǐ jiào shénme míngzi?)

Male: 我叫钱一。(Wǒ jiào Qián Yī.)

② Female: 谢谢! (Xièxie!)

Male: 不客气! (Bú kèqi!)

(4) ① 我去商店工作。(Wǒ qù shāngdiàn gōngzuò.)

Question: 我去哪儿工作? (Wǒ qù nǎr gōngzuò?)

② 我叫钱一。(Wǒ jiào Qián Yī.)

Question: 我叫什么名字? (Wǒ jiào shénme míngzi?)

Lesson Two

(1) ① 猫 (māo)

② 中国人 (Zhōngguórén)

(2) ① 我家有四口人。(Wǒ jiā yǒu sì kǒu rén.)

② 我妈妈去医院工作。(Wǒ māma qù yīyuàn gōngzuò.)

(3) ① Female: 你爸爸去商店工作吗? (Nǐ bàba qù shāngdiàn gōngzuò ma?)

Male: 我爸爸不去商店工作。(Wǒ bàba bú qù shāngdiàn gōngzuò.)

② Female: 你家有猫吗? (Nǐ jiā yǒu māo ma?)

Male: 没有,我家有狗。(Méiyǒu, wǒ jiā yǒu gǒu.)

(4) ① 我家有四口人,你家有三口人。(Wǒ jiā yǒu sì kǒu rén, nǐ jiā yǒu sān kǒu rén.)

Question: 我家有几口人? (Wǒ jiā yǒu jǐ kǒu rén?)

② 我家有猫,没有狗。(Wǒ jiā yǒu māo, méiyǒu gǒu.)

Question: 我家有什么? (Wǒ jiā yǒu shénme?)

Lesson Three

(1) ① 吃饭 (chīfàn)

② 十二月十二号 (shí'èr yuè shí'èr hào)

(2) ① 我在工作呢。(Wǒ zài gōngzuò ne.)

② 今天是我的生日。(Jīntiān shì wǒ de shēngri.)

(3) ① Female: 你在做什么呢? (Nǐ zài zuò shénme ne?)

Male: 我在吃饭呢。(Wǒ zài chīfàn ne.)

② Female: 你多少岁? (Nǐ duōshao suì?)

Male: 我今年三十四岁。(Wǒ jīnnián sānshísì suì.)

Wǒ de shēngri shì èr yuè èrshíbā hào, wǒ
(4) ① 我的生日是二月二十八号，我
míngnián shíbā suì.
明年十八岁。

Wǒ jīnnián duōshao suì?
Question: 我今年多少岁？

Míngnián shì èr líng yī wǔ nián, wǒ sānshí suì.
② 明年是二零一五年，我三十岁。

Jīnnián shì nǎ nián?
Question: 今年是哪年？

Lesson Four

xiě zì
(1) ① 写字

xuéxiào
② 学校 → school

Wǒ zài shuìjiào ne.
(2) ① 我在睡觉呢。

Tóngxuémen zài xuéxiào xuéxí.
② 同学们在学校学习。

Nǐ zài zuò shénme ne?
(3) ① Female: 你在做什么呢？

Wǒ zài xuéxí ne.
Male: 我在学习呢。

Nǐ zuótiān shì jǐ diǎn shuìjiào de?
② Female: 你昨天是几点睡觉的？

Wǒ zuótiān shì shí diǎn shuìjiào de.
Male: 我昨天是十点睡觉的。

Wǒ jīntiān shì sān diǎn qù xuéxiào de, bú shì sì
(4) ① 我今天是三点去学校的，不是四
diǎn qù xuéxiào de.
点去学校的。

Wǒ shì jǐ diǎn qù xuéxiào de?
Question: 我是几点去学校的？

Wǒ bú shì xuésheng, wǒ shì yīshēng.
② 我不是学生，我是医生。

Wǒ shì xuésheng ma?
Question: 我是学生吗？

Lesson Five

chī píngguǒ
(1) ① 吃苹果

mǎi dōngxi
② 买东西

Xiǎojiě, wǒ yào mǎi yì běn Hànyǔ shū.
(2) ① 小姐，我要买一本汉语书。

Zhè jiàn yīfu hěn piàoliang.
② 这件衣服很漂亮。

Zhè jiàn yīfu duōshao qián?
(3) ① Female: 这件衣服多少钱？

Sānbǎi wǔshí kuài.
Female: 三百五十块。

Píngguǒ hǎochī ma?
② Female: 苹果好吃吗？

Hěn hǎochī.
Male: 很好吃。

Wǒ mǎi dà de píngguǒ, bù mǎi xiǎo de.
(4) ① 我买大的苹果，不买小的。

Wǒ mǎi shénme píngguǒ?
Question: 我买什么苹果？

Nǐ de yīfu hěn piàoliang.
② 你的衣服很漂亮。

Nǐ de yīfu zěnmeyàng?
Question: 你的衣服怎么样？

Lesson Six

hē shuǐ
(1) ① 喝水

mǐfàn
② 米饭

Wǒ ài hē chá.
(2) ① 我爱喝茶。

Zhè ge cài hěn hǎochī.
② 这个菜很好吃。

Nǐmen yào jǐ ge bēizi?
(3) ① Female: 你们要几个杯子？

Wǒmen yào sān ge bēizi .
Male: 我们要三个杯子。

Nǐ ài chī mǐfàn ma?
② Female: 你爱吃米饭吗?

Wǒ ài chī mǐfàn .
Male: 我爱吃米饭。

Wǒ ài chī rè cài , bú ài chī lěng cài .
(4) ① 我爱吃热菜，不爱吃冷菜。

Wǒ ài chī shénme cài?
Question: 我爱吃什么菜?

Wǒmen bú yào chá , wǒmen yào shuǐ .
② 我们不要茶，我们要水。

Wǒmen yào shénme?
Question: 我们要什么?

Lesson Seven

chūzūchē
(1) ① 出租车

fēijī
② 飞机

Wǒ qù huǒchēzhàn zuò huǒchē .
(2) ① 我去火车站坐火车。

Nàge kāi fēijī de rén shì Zhōngguórén .
② 那个开飞机的人是中国人。

Nǐ zuò huǒchē qù Běijīng ma?
(3) ① Female: 你坐火车去北京吗?

Bù , wǒ zuò fēijī qù Běijīng .
Male: 不，我坐飞机去北京。

Nǐ rènshi nàge rén ma?
② Female: 你认识那个人吗?

Nàge rén shì wǒ māma .
Male: 那个人是我妈妈。

Wǒ zuò huǒchē qù fēijīchǎng .
(4) ① 我坐火车去飞机场。

Wǒ zěnme qù fēijīchǎng?
Question: 我怎么去飞机场?

Wǒ péngyou kànjiàn chūzūchē le .
② 我朋友看见出租车了。

Wǒ péngyou kànjiàn shénme le ?
Question: 我朋友看见什么了?

Lesson Eight

gāoxìng
(1) ① 高兴

xiàyǔ
② 下雨

Tā nǚ'ér huí jiā le , tā hěn gāoxìng .
(2) ① 她女儿回家了，她很高兴。

Wǒ de péngyou lái wǒ jiā chīfàn .
② 我的朋友来我家吃饭。

Nǐ tīngting , míngtiān de tiānqì zěnmeyàng?
(3) ① Female: 你听听，明天的天气怎么样?

Wǒ tīng le , míngtiān xiàyǔ .
Male: 我听了，明天下雨。

Nàge rén shì shéi?
② Female: 那个人是谁?

Nàge rén shì wǒ māma .
Male: 那个人是我妈妈。

Jīntiān tiānqì bú tài hǎo, xiàyǔ . Míngtiān tiānqì hěn hǎo .
(4) ① 今天天气不太好，下雨。明天天气很好。

Míngtiān tiānqì zěnmeyàng?
Question: 明天天气怎么样?

Wǒ jīntiān kànjiàn wǒ māma le , wǒ māma shuō zuótiān kànjiàn nǐ nǚ'ér le .
② 我今天看见我妈妈了，我妈妈说昨天看见你女儿了。

Wǒ māma kànjiàn shéi le ?
Question: 我妈妈看见谁了?

Lesson Nine

dú shū
(1) ① 读书

yīshēng
② 医生

Wǒ shì lǎoshī, wǒ hěn ài wǒ de xuésheng.
(2) ① 我是老师，我很爱我的学生。

Wǒ yǒu hěn duō píngguǒ.
② 我有很多苹果。

Wǒ tīngshuō nǐ shì Zhōngguórén, nǐ zhù zài nǎr?
(3) ① Female: 我听说你是中国人，你住在哪儿？

Wǒ zhù zài Běijīng.
Male: 我住在北京。

Duìbuqǐ, wǒ chīle nǐ de píngguǒ.
② Female: 对不起，我吃了你的苹果。

Méi guānxi.
Male: 没关系。

Nàge shāngdiàn bú zài qiánmian, zài wǒmen xuéxiào li.
(4) ① 那个商店不在前面，在我们学校里。

Nàge shāngdiàn zài nǎr?
Question: 那个商店在哪儿？

Nǐ bú huì shuō Hànyǔ, wǒ huì shuō Hànyǔ.
② 你不会说汉语，我会说汉语。

Shéi huì shuō Hànyǔ?
Question: 谁会说汉语？

Lesson Ten

kàn diànyǐng
(1) ① 看电影

zhuōzi
② 桌子

Wǒ jiā de diànshì hěn xiǎo.
(2) ① 我家的电视很小。

Tā zuò zài yǐzi shang.
② 她坐在椅子上。

Nǐ zài zuò shénme ne?
(3) ① Female: 你在做什么呢？

Wǒ zài kàn diànshì ne.
Male: 我在看电视呢。

Nǐ xǐhuan qù diànyǐngyuàn kàn diànyǐng ma?
② Female: 你喜欢去电影院看电影吗？

Wǒ xǐhuan qù diànyǐngyuàn kàn diànyǐng.
Male: 我喜欢去电影院看电影。

Wǒ bù xǐhuan zài diànnǎo shang kàn diànyǐng, Wǒ xǐhuan zài diànyǐngyuàn kàn diànyǐng.
(4) ① 我不喜欢在电脑上看电影，我喜欢在电影院看电影。

Wǒ xǐhuan zài nǎr kàn diànyǐng?
Question: 我喜欢在哪儿看电影？

Wǒ mǎile zhuōzi hé yǐzi hòu, kànle yīfu.
② 我买了桌子和椅子后，看了衣服。

Wǒ mǎile zhuōzi hé yǐzi hòu, kànle shénme?
Question: 我买了桌子和椅子后，看了什么？

Basic Radicals

One stroke

丨 亅 丿 乛 一 乙 乚 丶

Two strokes

1. 人: Characters with the radical 人 relate to people and their attributes. It is usually placed at the top or on either side of a character.

Example: 从 : to follow. One person behind the other signifies a follower.

众 : crowd. Three persons symbolize a large number of people.

2. 亻 evolved from 人. Characters with the radical 亻 relate to the activities of people. It is placed on the left side of a character.

Example: 你 : you. 你 is the second person singular pronoun.

作 : to work.

3. 又 : Most characters with the radical 又 relate to the movement of the hand. The position of the radical is flexible.

Example: 友 friend.

4. 冫 : Characters with the radical 冫 relate to something cold. It is placed on the left side of a character.

Example: 冷 : cold. 冫 means cold and 令 is the phonetic component.

冰 : ice. 水 means water.

5. 讠 is a variation of 言 . Characters with the radical 讠 relate to language. It is placed on the left side of a character.

Example: 语 : language. 讠 signifies language. 吾 is the phonetic component.

请 : please; to invite. 青 is the phonetic component.

6. 刀 : Characters with the radical 刀 relate to cutting, carving, etc. The position of the radical is flexible.

Example: 分 : to separate.

7. 刂 evolved from 刀. Characters with the radical 刂 relate to the use of a knife. It is placed on the right side of a character.

Example: 别 : to leave.

到 : to arrive. 至 means to arrive and 刂 is the phonetic component.

8. 阝: There are two types of characters with the radical 阝. 阝 on the left side of a character relates to a hill or terrain. Placed on the right side of a character it relates to a city or state.

Example: 院 : courtyard. 阝 means terrain. 完 is the phonetic component.

都 : capital. 阝 indicates a city.

Three strokes

9. 扌 evolved from 手. Characters with the radical 扌 relate to actions of the hand. It is placed on the left side of a character.

Example: 打 : to strike, to hit.

提 : to carry, to lift.

10. 口 : Characters with the radical 口 relate to the mouth. It is placed on the left side of a character.

Example: 吃 : to eat. 乞 is the phonetic component.

叫 : to call.

11. 囗 resembles a square or box. Characters with the radical 囗 relate to limits and scope.

Example: 国 : country. 囗 represents a border.

回 : return. 囗 defines the scope.

12. 女 : Most characters with the radical 女 relate to the female sex. It is placed on the left side of a character.

Example: 好 : good. 子 means a child.

妈 : mother. 马 is the phonetic component.

13. 子 : Characters with the radical 子 relate to children. It is placed on the top, bottom or left side of a character.

Example: 学 : to learn. 子 means a child.

孩 : child. 孩 is a phono-semantic compound. 子 means child, while 亥 is the phonetic component.

14. 氵 evolved from 水 . Characters with the radical 氵 relate to water or liquid. It is placed on the left

side of a character.

Example: 漂 : to float. 票 is the phonetic component.

汉 : a name of a major tributary of the Yangtze River; the Han people.

15. 土: Most characters with the radical 土 relate to soil. The position of the radical is flexible.

Example: 尘 : dust. 小 means small. Dust is small soil.

坐 : to sit. 从 symbolizes two people.

16. 艹: Characters with the radical 艹 mostly relate to plants. It is placed at the top of a character.

Example: 苹 : apple. 平 is the phonetic component.

花 : flower. 化 is the phonetic component.

17. 忄 evolved from 心. Characters with the radical 忄 relate to mental activities. It is placed on the left side of a character.

Example: 情 : feeling.

忙 : to be busy.

18. 饣 evolved from 食. Characters with the radical 饣 relate to food. It is placed on the left side of a character.

Example: 饭 : meal.

馆 : restaurant.

19. 山: Most characters with the radical 山 relate to mountains. The position of the radical is flexible.

Example: 岁 : age. Some characters with the radical 夕 relate to night or sunset. Most characters with the radical 山 relate to mountains.

岭 : ridge. 令 is the phonetic component.

20. 宀: Characters with the radical 宀 relate to houses and rooms. It is placed at the top of a character.

Example: 字 : character. 子 is the phonetic component.

室 : room. 至 means to arrive. 宀 represents a roof.

21. 犭 evolved from 犬 (dog). Characters with the radical 犭 relate to animals. It is placed on the left side of a character.

Example: 狗 : dog. 犭 stands for a dog, while 句 is the phonetic component.

猫 : cat. 苗 is the phonetic component.

22. 辶: Characters with the radical 辶 relate mostly to walking. It is placed on the left side of a character.

Example: 进 : to enter. 井 is the phonetic component.

这 : this.

23. 门: Characters with the radical 门 relate to doors. Sometimes 门 may act as the phonetic component.

Example: 问 : to ask. 门 represents a door. 口 means mouth. 问 illustrates a person making an inquiry at someone's doorstep.

间 : space. 日 symbolizes the sun.

24. 广: Characters with the radical 广 relate to vastness or occupied space. It is placed on the left side of a character.

Example: 店 : shop. 广 means large.

床 : bed. 木 represents wood. 广 means large.

25. 大: Characters with the radical 大 relate to large size or to a person standing. It is placed at the top or bottom of a character.

Example: 天 : sky. 天 shows a person standing with a horizontal stroke above the head, symbolizing the sky.

26. 小: Some characters composed of the radical 小 relate to something small. It is also used phonetically and placed at the top of a character.

Example: 少 : few, little. 小 means small.

尘 : dust. 小 means small. Dust is small soil.

27. 夕: Some characters with the radical 夕 relate to night. Its position as a radical is flexible.

Example: 名 : name. 口 means mouth.

28. 彡: Characters with the radical 彡 relate to hair and rays of light. It may be placed on either side of a character.

Example: 影 : shadow. 彡 represents rays of light. 景 is the phonetic component.

须 : beard. 彡 represents hair, 页 means head.

Four strokes

29. 日: Characters with the radical 日 relate to the sun. It is usually placed on the left side of a character. In a few cases, 日 is also placed on the top or bottom.

Example: 明 : bright.

昨 : yesterday.

30. 月 represents two characters. The first is 月 (moon), and the second 肉 (flesh). Characters with the radical 月 on the right side relate to the moon or month. Characters with the radical 月 on the left side relate to the body.

Example: 服 : clothes. 月 relates to the body here.

朋 : friend.

31. 水 : Characters with the radical 水 relate to water. It is placed at the top or bottom of a character.

Example: 尿 : urine. 尸 means body.

32. 火 : Characters with the radical 火 relate to fire. It is usually placed on the left side, at the bottom or top of a character.

Example: 灯 : lantern, lamp. 丁 is the phonetic component.

33. 灬 is a variation of 火 . Characters with the radical 灬 relate to fire. It is placed at the bottom of a character.

Example: 点 : to light; point. 点 means to light a fire. 占 is the phonetic component.

热 : hot; heat. 执 is the phonetic component.

34. 木: Characters with the radical 木 relate to trees or wood. It is usually placed on the left side of a character.

Example: 林 : forest. 木 means tree. Two trees together symbolize a forest.

校 : school. 交 is the phonetic component.

35. 心: Characters with the radical 心 relate to mental activities. It is placed at the bottom of a character.

Example: 想 : to think. 相 is the phonetic component.

怎 : how. 乍 is the phonetic component.

36. 礻 evolved from 示. Characters with the radical 礻 relate to something being shown or revealed. It

is placed on the left side of a character.

Example: 视 : to look at. 礻 relates to something being shown or revealed, 见 means to see. 示 is the phonetic component.

祝 : to wish, to celebrate.

37. 王: Characters with the radical 王 relate to king/emperor or jade. It is placed on the left side of a character.

Example: 现 : appear. 见 is the phonetic component.

主 : master, host. 王 means king.

38. 犬: Characters with the radical 犬 often relate to dogs. It is usually placed at the bottom of a character.

Example: 哭 : to cry.

39. 爪: Characters with the radical 爪 relate mostly to hands and claws. It may be placed on either side of a character.

Example: 爬 : to crawl. 爪 represents a claw. 巴 is the phonetic component.

40. 爫 evolved from 爪. Characters with the radical 爫 relate mostly to the actions of a hand or claw. It is placed at the top of a character.

Example: 爱 : to love. 爫 represents a hand. 友 means friendly sentiments.

41. 手: Characters with the radical 手 relate to the hand. It is placed at the bottom of a character.

Example: 拿 to take. 合 means to close.

42. 攵: Characters with the radical 攵 relate to the movement of the hand. It is usually placed on the right side of a character.

Example: 做 : to do. 亻 evolved from 人, characters with the radical 亻 mostly relate to people or their attributes. Characters with the radical 攵 relate to the movement of the hand.

教: to teach. 孝 is the phonetic component.

43. 父: Characters with the radical 父 mostly relate to a senior male. It is placed at the top of a character.

Example: 爸 : father. 父 means father, while 巴 is the phonetic component.

Five strokes

44. 目: Characters with the radical 目 relate to the eyes. Its position is flexible.

Example: 睡 : sleep. 垂 means falling. When the eyelids fall, a person is ready to go to sleep.

泪 : tear. 氵 indicates water. In this character, tears are water dropping from the eyes.

45. 钅 evolved from 金. Characters with the radical 钅 relate to metal. It is placed on the left side of a character.

Example: 钟 : clock. 钅 signifies metal. 中 is the phonetic component.

钱 : money. 钅 signifies metal.

46. 示: Characters with the radical 示 relate to something being shown or revealed. It is placed at the bottom of a character.

Example: 票 : ticket.

47. 禾 : Characters with the radical 禾 relate to the growing of the crops. It is placed on the left side of a character.

Example: 租 : to rent.

种 : to plant. 禾 represents standing grain. 中 is the phonetic component.

48. 立: Most characters with the radical 立 relate to someone or something standing. Its position is flexible.

Example: 站 : to stand. 立 mean to stand. 占 is the phonetic component.

Seven strokes

49. 言: Characters with the radical 言 relate to language and words. It is usually placed on the top or at either side of a character.

Example: 信 : letter. 言 means language. 人 indicates a person. A person uses language to write a letter.

50. 走: Characters with the radical 走 relate to walking. It is placed on the left side of a character.

Example: 起 : to get up. 走 means walking. 己 is the phonetic component.

赶 : to catch up with. 走 means walking. 干 is the phonetic component.

51. 豕: Characters with the radicals 豕 relate mostly to pigs. It is usually placed at the bottom or on the

left side of a character.

Example: 家 family. 宀 represents a house. 豕 means pig. To have pigs in the house signifies that the house is occupied by a family.

Eight strokes

52. 雨 : Characters with the radical 雨 relate to weather. It is usually placed at the top of a character.

Example: 零 : zero. 令 is the phonetic component.

雪 : snow.

雨 : rain.

53. 金 : Characters with the radical 金 relate to metals. It is usually placed at the bottom of a character.

Example: 鉴 : bronze mirror. 金 signifies metals.

Nine strokes

54. 食 : Characters with the radical 食 relate to food. It is usually placed on the bottom or the right side of a character.

Example: 餐 : to eat; meal. 食 means food.

Vocabulary by Parts of Speech

1. 名词 (62个)
míngcí

(1)
jiā 家　xuéxiào 学校　fàndiàn 饭店　shāngdiàn 商店　yīyuàn 医院　huǒchēzhàn 火车站　Zhōngguó 中国　Běijīng 北京

(2)
shàng 上　xià 下　qiánmian 前面　hòumian 后面　lǐ 里

(3)
jīntiān 今天　míngtiān 明天　zuótiān 昨天　shàngwǔ 上午　zhōngwǔ 中午　xiàwǔ 下午　nián 年　yuè 月　rì 日

xīngqī 星期　diǎn 点　xiànzài 现在　shíhou 时候

(4)
bàba 爸爸　māma 妈妈　érzi 儿子　nǚ'ér 女儿　lǎoshī 老师　xuésheng 学生　tóngxué 同学　péngyou 朋友

yīshēng 医生　xiānsheng 先生　xiǎojiě 小姐

(5)
yīfu 衣服　shuǐ 水　cài 菜　mǐfàn 米饭　shuǐguǒ 水果　píngguǒ 苹果　chá 茶　bēizi 杯子　qián 钱　fēijī 飞机

chūzūchē 出租车　diànshì 电视　diànnǎo 电脑　diànyǐng 电影　tiānqì 天气　māo 猫　gǒu 狗　dōngxi 东西

(6)
rén 人　míngzi 名字　shū 书　Hànyǔ 汉语　zì 字　zhuōzi 桌子　yǐzi 椅子

2. 动词 (36个)
dòngcí

(1)
xièxie 谢谢　bú kèqi 不客气　zàijiàn 再见　qǐng 请　duìbuqǐ 对不起　méi guānxi 没关系

(2)
shì 是　yǒu 有

(3)
kàn 看　tīng 听　shuōhuà 说话　dú 读　xiě 写　kànjiàn 看见　jiào 叫　lái 来　huí 回　qù 去　chī 吃　hē 喝

shuìjiào 睡觉　dǎ diànhuà 打电话　zuò 做　mǎi 买　kāi 开　zuò 坐　zhù 住　xuéxí 学习　gōngzuò 工作

xiàyǔ 下雨

(4)
ài 爱　xǐhuan 喜欢　xiǎng 想　rènshi 认识

(5)
huì 会　néng 能

xíngróngcí
3. 形容词 (8 个)

hǎo dà xiǎo duō shǎo gāoxìng lěng rè
好 大 小 多 少 高兴 冷 热

dàicí
4. 代词 (17 个)

wǒ nǐ tā tā shénme duōshao wǒmen nǐmen tāmen jǐ zěnme zěnmeyàng
我 你 他 她 什么 多少 我们 你们 他们 几 怎么 怎么样

tāmen zhè nà shuí nǎr
她们 这 那 谁 哪儿

shùcí
5. 数词 (11 个)

yī èr sān sì wǔ liù qī bā jiǔ shí líng
一 二 三 四 五 六 七 八 九 十 零

liàngcí
6. 量词 (5 个)

gè suì běn xiē kuài
个 岁 本 些 块

fùcí
7. 副词 (5 个)

bù méi hěn tài dōu
不 没 很 太 都

liáncí
8. 连词 (1 个)

hé
和

jiècí
9. 介词 (1 个)

zài
在

zhùcí
10. 助词 (4 个)

de le ma ne
的 了 吗 呢

Word List

A

1. 爱 / 6

B

2. 八 / 3
3. 爸爸 / 2
4. 杯子 / 6
5. 北京 / 2
6. 本 / 5
7. 不 / 1
8. 不客气 / 1

C

9. 菜 / 6
10. 茶 / 6
11. 吃 / 3
12. 出租车 / 7

D

13. 打电话 / 8
14. 大 / 5
15. 的 / 3
16. 点 / 4
17. 电脑 / 10
18. 电视 / 10
19. 电影 / 10
20. 东西 / 5
21. 都 / 6
22. 读 / 9
23. 对不起 / 9
24. 多 / 9
25. 多少 / 3

E

26. 儿子 / 9
27. 二 / 3

F

28. 饭店 / 3
29. 飞机 / 7
30. 分钟 / 4

G

31. 高兴 / 8
32. 个 / 3
33. 工作 / 1
34. 狗 / 2

H

35. 汉语 / 5
36. 好 / 1
37. 号 / 3
38. 喝 / 6
39. 和 / 2
40. 很 / 1
41. 后面 / 7
42. 回 / 8
43. 会 / 9

J

44. 儿 / 2
45. 家 / 2
46. 叫 / 1
47. 今天 / 3
48. 九 / 3

K

49. 开 / 7
50. 看 / 6
51. 看见 / 7
52. 块 / 5

L

53. 来 / 7
54. 老师 / 9
55. 了 / 3
56. 冷 / 6
57. 里 / 9
58. 六 / 3

M

59. 妈妈 / 2
60. 吗 / 1
61. 买 / 5
62. 猫 / 2
63. 没关系 / 9
64. 没有 / 2
65. 米饭 / 6
66. 名字 / 1
67. 明天 / 3

N

68. 哪 / 2
69. 哪儿 / 1
70. 那 / 5
71. 呢 / 1

72. 能 / 9
73. 你 / 1
74. 年 / 3
75. 女儿 / 8

P

76. 朋友 / 7
77. 漂亮 / 5
78. 苹果 / 5

Q

79. 七 / 3
80. 前面 / 7
81. 钱 / 1
82. 请 / 5
83. 去 / 1

R

84. 热 / 6
85. 人 / 2
86. 认识 / 7

S

87. 三 / 2
88. 商店 / 1
89. 上 / 7
90. 上午 / 4
91. 少 / 9
92. 谁 / 8
93. 什么 / 1
94. 十 / 3
95. 时候 / 4
96. 是 / 2
97. 书 / 5
98. 水 / 6
99. 水果 / 5
100. 睡觉 / 4
101. 说 / 8
102. 四 / 2
103. 岁 / 3

T

104. 他 / 9
105. 她 / 8
106. 太 / 5
107. 天气 / 8
108. 听 / 8
109. 同学 / 4

W

110. 喂 / 8
111. 我 / 1
112. 我们 / 4
113. 五 / 3

X

114. 喜欢 / 10
115. 下 / 7
116. 下午 / 4
117. 下雨 / 8
118. 先生 / 5
119. 现在 / 4
120. 想 / 10
121. 小 / 5
122. 小姐 / 5
123. 些 / 5
124. 写 / 4
125. 谢谢 / 1
126. 星期 / 3
127. 学生 / 4
128. 学习 / 4
129. 学校 / 4

Y

130. 一 / 1
131. 一点儿 / 9
132. 衣服 / 5
133. 医生 / 9
134. 医院 / 1
135. 椅子 / 10
136. 有 / 2
137. 月 / 3

Z

138. 再见 / 1
139. 在 / 3
140. 怎么 / 7
141. 怎么样 / 5
142. 这 / 5
143. 中国 / 2
144. 中午 / 4
145. 住 / 9
146. 桌子 / 10
147. 字 / 4
148. 昨天 / 3
149. 坐 / 7
150. 做 / 3

Supplementary Vocabulary

1. 杯 / 6
2. 到 / 7
3.……的时候 / 10
4. 电影院 / 10
5. 饭 / 3
6. 饭馆 / 3
7. 飞机场 / 7
8. 国 / 2
9. 汉字 / 9
10. 好吃 / 4
11. 好喝 / 6
12. 好看 / 6
13. 好学 / 5
14. 后 /4
15. 火车站 / 7
16. 回来 / 8
17. 回去 / 8
18. 家人 / 2
19. 件 / 5
19. 斤 5
20. 今年 / 3
21. 可能 / 10
22. 可以 / 5
23. 口 / 2
24. 冷菜 6
25. 零 / 3
26. 明年 / 3
27. 那儿 / 5
28. 那些 / 5
29. 你们 / 4
30. 汽车 / 7
31. 请问 / 5
32. 热菜 / 6
33. 日 / 3
34. 什么时候 / 4
35. 生日 / 3
36. 说话 / 9
37. 天天 / 9
38. 听说 / 10
39. 问 / 5
40. 午觉 / 4
41. 要 / 5
42. 以后 / 4
43. 有时候 / 4
44. 再 / 6
45. 这儿 / 5
46. 这些 / 5
47. 走 / 7

YCSC Teaching Methods

本册书共分 40 课时，每课时 50 分钟，学生基本可以在课堂上完成学习、练习、应用的全过程，中国境内的学生如果能运用语言环境进行练习，可以不复习，中国境外的学生因为没有语言环境，要适当复习。

This book can be divided into 40 class periods with each class period taking 50 minutes. In principle, students should be able to study, practice and actively use the material during class. Since students in China can practice with native Chinese speakers they may not need to review this book, though students outside of China must review the book because of a lack of a natural language environment.

在这套教材的编写试验教学中，编者总结了一些注意事项，希望能对大家有所帮助。

The following are some tips for using the book which I have summarized in the process of creating and using this series. I hope this will be helpful.

1. 语音部分声母、韵母的练习是重点，但不要求一上来学生就能发得很标准，我们会在今后的教学中逐步纠正，所有语音解释也会在今后的教学中具体练习，开始只是让学生有个初步的了解。

Practicing the initials and finals in the pre-Lesson One Phonetics section is of great importance. While it is not required that students have standard pronunciation from the beginning, their pronunciation should be corrected little by little during the following lessons. The Phonetics section is only to provide guidelines for pronunciation as rules of pronunciation may be practiced in later lessons.

2. 学习生词时要给学生几分钟时间记或帮助他们一起记，然后测试学生生词的掌握程度。

When learning new words it is important to allow the students several minutes for memorization which may be then followed by testing.

3. 学习完口语，要让学生两人一组做角色练习。

After studying the Dialogue section, ask students to do a role-play in pairs mirroring the dialogue.

4. 汉字偏旁部首的解释可以让学生自己看，有问题提问。

The explanations of radicals may be studied by the students themselves; in class they may raise questions.

5. 汉字，由于学生不可能很快记住汉字，先让学生跟读老师两遍，边读边想意思，然后自己再尝试读。
As students may not remember the characters quickly, ask students to read each of the characters twice after the teacher (in the Characters section), in the meantime they should contemplate their meanings. Afterward, ask students to try to read the characters by themselves.

6. 课后练习中的汉字让学生按不同的顺序读。
Ask students to read the characters from Exercise 3 in a random order.

7. 学习口语和汉字时，可以让学生翻译，以确保学生明白意思。
When studying the Dialogue and the Characters sections the teacher may ask students to translate, so as to ensure the students' understanding.

8. 复习口语时，告诉学生尝试读汉字。
When reviewing the Dialogue section, ask the students to read the characters based on their knowledge of radicals and vocabulary.

9. 复习课后汉字练习时，汉字每次至少复习两遍。
When reviewing Exercise 3 at the end of the lessons, separately review the characters at least twice.

10. 利用学过的词模拟对话部分，老师要给学生话题，让学生两人一组提前准备或即兴发挥，不能看书本。
When creating a situation for the students to use the words they have learned, the teacher should either provide the students with topics, ask them to prepare in advance or ask them to stage an extemporaneous play. During such activities they are not allowed to read the book and should work in pairs.

11. 如果哪个课时的任务没有完成，忽略它。因为我们同一内容以后会多次重复。下次课不用弥补。

As the content of the lessons will be repeated throughout the book, missing or skipping certain tasks in a lesson will not disrupt the learning outcome. It is unnecessary to make up unfinished content in the following lesson as there will be time for review later.

具体课时安排可参照如下：

Class periods can be arranged as follws:

第一课时：语音的练习和讲解大概 35 分钟，15 分钟学习第一课口语部分。

Spend around 35 minutes on Phonetics and Characters in the pre-Lesson One content and the remaining 15 minutes on the Dialogue section in Lesson One.

第二课时：复习第一课口语部分，继续学第一课，直到汉字部分（包括课后汉字练习）结束。

Review the Dialogue section in Lesson One and continue to study Lesson One until finished with the Characters section (including Exercise 3 at the end of the lesson).

第三课时：复习第一课口语、问答练习，做第一课课后练习。学习第二课口语部分。

Review the Dialogue section and the question and answer practice in Lesson One. Complete the exercises at the end of Lesson One. Study the Dialogue section in Lesson Two.

第四课时：复习第一课的问答练习、课后汉字练习，复习第二课的口语部分，继续学习第二课，直至汉字部分（包括课后汉字练习）结束。

Review the question and answer practice and the Exercise 3 at the end of Lesson One, review the Dialogue section in Lesson Two and continue to study Lesson Two until finished with the Characters section (including Exercise 3 at the end of the lesson).

第五课时：复习第一课问答练习、课后汉字练习，第二课问答练习，做第二课课后练习。学习第三课口语部分。

Review the question and answer practice and Exercise 3 at the end of Lesson One and the question and answer practice in Lesson Two. Complete the exercises at the end of Lesson Two. Study the Dialogue section in Lesson Three.

第六课时：复习第二课问答练习、课后汉字练习。复习第三课口语部分，继续学习第三课，直至汉字部分（包括课后汉字练习）结束。

Review the question and answer practice and Exercise 3 at the end of Lesson Two. Review the Dialogue section in Lesson Three and continue to study Lesson Three until finished with the Characters section (including Exercise 3 at the end of the lesson).

第七课时：复习第二课问答练习、课后汉字练习，第三课问答练习，做第三课课后练习。学习第四课口语部分。

Review the Question and Answer Practice and Exercise 3 at the end of lesson Two. Review the Question and Answer Practice in Lesson Three. Complete the exercises at the end of Lesson Three. Study the Dialogue section in Lesson Four.

第八课时：复习第三课问答练习、课后汉字练习。复习第四课口语部分，继续学习第四课，直至汉字部分（包括课后汉字练习）结束。

Review the Question and Answer Practice and Exercise 3 at the end of Lesson Three, review the Dialogue section in Lesson Four and continue to study Lesson Four until finished with the Characters section (including Exercise 3 at the end of the lesson).

第九课时：复习第三课问答练习、课后汉字练习，第四课问答练习，做第四课课后练习。学习第五课口语部分。

Review the Question and Answer Practice and Exercise 3 at the end of Lesson Three. Review the Question and Answer Practice in Lesson Four. Complete the exercises at the end of Lesson Four. Study the Dialogue section in Lesson Five.

第十课时：复习一至四课的口语和问答练习。利用学过的词模拟对话。

Review the Dialogue section and the Question and Answer Practice in lessons 1, 2, 3 and 4. Create an interactive situation for the students to use words learned in these lessons.

第十一课时：复习一至四课的课后汉字练习，利用学过的词模拟对话。

Review Exercise 3 at the end of lessons 1, 2, 3 and 4. Create an interactive situation for the students to use words learned in these lessons.

第十二课时：复习一至四课的问答练习和课后汉字练习，利用学过的词模拟对话。

Review the Question and Answer Practice and Exercise 3 at the end of lessons 1, 2, 3 and 4. Create an interactive situation for the students to use words learned in these lessons.

第十三课时：复习第四课问答练习、课后汉字练习。复习第五课口语部分，继续学习第五课，直至汉字部分（包括课后汉字练习）结束。

Review the Question and Answer Practice and Exercise 3 at the end of Lesson Four, review the Dialogue section in Lesson Five and continue to study Lesson Five until finished with the Characters section (including Exercise 3 at the end of the lesson).

第十四课时：复习第四课问答练习、课后汉字练习，第五课问答练习，做第五课课后练习。学习第六课口语部分。

Review the Question and Answer Practice and Exercise 3 at the end of lesson Four. Review the Question and Answer Practice in Lesson Five. Complete the exercises at the end of Lesson Five. Study the Dialogue section in Lesson Six.

第十五课时：复习第五课问答练习、课后汉字练习。复习第六课口语部分，继续学习第六课，直至汉字部分（包括课后汉字练习）结束。

Review the Question and Answer Practice and Exercise 3 at the end of Lesson Six, review the Dialogue section in Lesson Six and continue to study Lesson Six until finished with the Characters section (including Exercise 3 at the end of the lesson).

第十六课时：复习第五课问答练习、课后汉字练习，第六课问答练习，做第六课课后练习。学习第七课口语部分。

Review the question & answer practice, the character practice at the end of lesson 5, and the question

& practice in Lesson 6. Complete the exercises at the end of Lesson 6. Study the speaking section in Lesson 7.

第十七课时：复习三至六课的口语和问答练习，利用学过的词模拟对话。
Review the Dialogue section and the Question and Answer Practice in Lessons 3, 4, 5 and 6. Create an interactive situation for the students to use words learned in these lessons.

第十八课时：复习三至六课的课后汉字练习，利用学过的词模拟对话。
Review Exercise 3 at the end of lessons 3, 4, 5 and 6. Create an interactive situation for the students to use words learned in these lessons.

第十九课时：复习三至六课的问答练习和课后汉字练习，利用学过的词模拟对话。
Review the Question and Answer Practice and Exercise 3 at the end of lessons 3, 4, 5 and 6. Create an interactive situation for the students to use words learned in these lessons.

第二十课时：复习第六课问答练习、课后汉字练习。预习第七课口语部分，继续学习第七课，直至汉字部分（包括课后汉字练习）结束。
Review the Question and Answer Practice and Exercise 3 at the end of Lesson Six, review the Dialogue section in Lesson Seven and continue to study Lesson Seven until finished with the Characters section (including Exercise 3 at the end of lesson).

第二十一课时：复习第六课问答练习、课后汉字练习，第七课问答练习，做第七课课后练习。学习第八课口语部分。
Review the Question and Answer Practice and Exercise 3 at the end of Lesson Six. Review the Question and Answer Practice in Lesson Seven. Complete the exercises at the end of Lesson Seven. Study the Dialogue section in Lesson Eight.

第二十二课时：复习第七课问答练习、课后汉字练习。复习第八课口语部分，继续学习第八课，直至汉字部分（包括课后汉字练习）结束。
Review the Question and Answer Practice and Exercise 3 at the end of Lesson Seven, review

the Dialogue section in Lesson Eight and continue to study Lesson Eight until finished with the Characters section (including Exercise 3 at the end of the lesson).

第二十三课时：复习第七课问答练习、课后汉字练习，第八课问答练习，做第八课课后练习。学习第九课口语部分。

Review the Question and Answer Practice, Exercise 3 at the end of Lesson Seven and the Question and Answer Practice in Lesson Eight. Complete the exercises at the end of Lesson Eight. Study the Dialogue section in Lesson Nine.

第二十四课时：复习五至八课的口语和问答练习，利用学过的词模拟对话。

Review the Dialogue section and the Question and Answer Practice at the end of Lessons 5, 6, 7 and 8. Create an interactive situation for the students to use words learned in these lessons.

第二十五课时：复习五至八课的课后汉字练习，利用学过的词模拟对话。

Review Exercise 3 at the end of lessons 5, 6, 7 and 8. Create a situation for the students to use words learned in these lessons.

第二十六课时：复习五至八课的问答练习和课后汉字练习，利用学过的词模拟对话。

Review the Question and Answer Practice and Exercise 3 at the end of lessons 5, 6, 7 and 8. Create an interactive situation for the students to use words learned in these lessons.

第二十七课时：复习第八课问答练习、课后汉字练习。复习第九课口语部分，继续学习第九课，直至汉字部分（包括课后汉字练习）结束。

Review the Question and Answer Practice and Exercise 3 at the end of Lesson Eight, review the Dialogue section in Lesson Nine and continue to study Lesson Nine until finished with the Characters section (including Exercise 3 at the end of the lesson).

第二十八课时：复习第八课问答练习、课后汉字练习，第九课问答练习，做第九课课后练习。学习第十课口语部分。

Review the Question and Answer Practice and Exercise 3 at the end of Lesson Eight. Review the

Question and Answer Practice in Lesson Nine. Complete the exercises at the end of Lesson Nine. Study the Dialogue section in Lesson Ten.

第二十九课时：复习第九课问答练习、课后汉字练习。复习第十课口语部分，继续学习第十课，直至汉字部分（包括课后汉字练习）结束。
Review the Question and Answer Practice and Exercise 3 at the end of Lesson Nine, review the Dialogue section in Lesson Ten and continue to study Lesson Ten until finished with the Characters section (including Exercise 3 at the end of the lesson).

第三十课时：复习第九课问答练习、课后汉字练习，第十课问答练习，做第十课课后练习。
Review the Question and Answer Practice and Exercise 3 at the end of Lesson Nine. Review the Question and Answer Practice in Lesson Ten. Complete the exercises at the end of Lesson Ten.

第三十一课时：复习七至十课的口语和问答练习，利用学过的词模拟对话。
Review the Dialogue section and the Question and Answer Practice in Lessons 7, 8, 9 and 10. Create an interactive situation for the students to use words learned in these lessons.

第三十二课时：复习七至十课的课后汉字练习，利用学过的词模拟对话。
Review Exercise 3 at the end of lessons 7, 8, 9 and 10. Create a situation for the students to use words learned in these lessons.

第三十三课时：复习七、八、九、十课，问答练习和课后汉字练习，利用学过的词模拟对话。
Review Question and Answer Practice and Exercise 3 at the end of lessons 7, 8, 9 and 10. Create an interactive situation for the students to use words learned in these lessons.

第三十四课时：复习第九、十课问答练习，课后汉字练习。然后开始复习第一课。利用学过的词模拟对话。
Review the Question and Answer Practice and Exercise 3 at the end of lessons 9 and 10. After that, review Lesson One. Create an interactive situation for the students to use words learned.

第三十五课时：复习二至四课，利用学过的词模拟对话。

Review lessons 2, 3 and 4. Create an interactive situation for students to use words learned.

第三十六课时：复习五至七课，利用学过的词模拟对话。

Review lessons 5, 6 and 7. Create an interactive situation for the students to use words learned.

第三十八课时：复习八至十课，利用学过的词模拟对话。

Review lessons 8, 9 and 10. Create an interactive situation for the students to use words learned.

第三十七至四十课时：做三套 HSK（一级）考试试题，一套在书后，另两套可以从汉办网站下载，并答疑。

Ask the students to complete three sets of HSK Level 1 tests. One is attached at the end of the book, the other two can be downloaded from www.hanban.org. Answer any questions the students may have.

注 (Notes)：

口语部分和汉字部分也可以分开教学，口语部分的问答练习，汉字部分的课后练习一定要反复练习，并可以借助口语部分练汉字，借助汉字部分练口语。

The Dialogue section and the Characters section may also be taught separately. The Question and Answer Practice and Exercise 3 at the end of the lessons should be drilled repeatedly. The Dialogue section may be used to practice reading characters and the characters section may as well be used to practice speaking.

HSK Mock Test Level 1

新汉语水平考试
HSK（一级）

模拟

注　　意

一、HSK(一级)分两部分：

　　1. 听力（20 题，约 15 分钟）

　　2. 阅读（20 题，17 分钟）

二、**听力结束后，有 3 分钟填写答题卡。**

三、全部考试约 40 分钟（含考生填写个人信息时间 5 分钟）。

一、听 力

第一部分

第 1－5 题

例如：		×
		√
1		
2		
3		
4		
5		

第二部分

第 6 – 10 题

例如：	 A	 B ✓	 C
6	 A	 B	 C
7	 A	 B	 C
8	 A	 B	 C

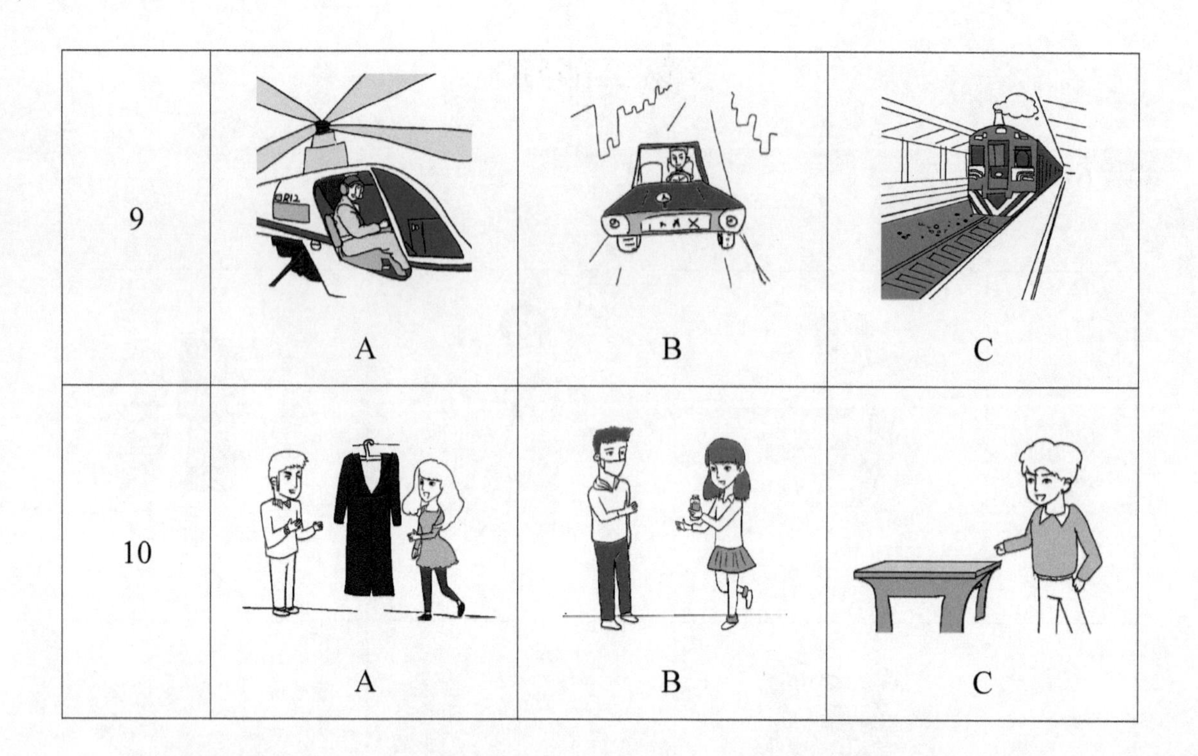
9
A
B
C
10
A
B
C

第三部分

第 11– 15 题

A

B

C

D

E

F

例如：女：那只小猫是你家的吗？
Nà zhī xiǎo māo shì nǐ jiā de ma?

男：那只小猫是我家的。
Nà zhī xiǎo māo shì wǒ jiā de.

D

11.

12.

13.

14.

15.

第四部分

第 16 – 20 题

Xiàwǔ wǒ qù shāngdiàn mǎi yīfu, bù mǎi bēizi.
例如：下午我去商店买衣服，不买杯子。

Tā xiàwǔ qù shāngdiàn mǎi shénme?
问：她下午去商店买什么？

yīfu A 衣服 ✓	bēizi B 杯子	yǐzi C 椅子

16.	gǒu A 狗	māo B 猫	māo hé gǒu C 猫和狗
17.	xià xiǎo yǔ A 下小雨	xià dà yǔ B 下大雨	méi xiàyǔ C 没下雨
18.	kāi fēijī A 开飞机	zuòfàn B 做饭	kāichē C 开车
19.	jiā li A 家里	xuéxiào B 学校	tā péngyou jiā C 他朋友家
20.	shū A 书	diànshì B 电视	diànnǎo C 电脑

二、阅读

第一部分

第 21 – 25 题

例如：		mǐfàn 米饭	×
		zhuōzi 桌子	√
21.		sān ge rén 三 个 人	√
22.		lǎoshī 老师	×
23.		shēngri 生 日	√
24.		lěngshuǐ 冷 水	×
25.		péngyou 朋 友	√

第二部分

第 26 – 30 题

A

B

C

D

E

F

Tāmen zài jiā chīfàn ne .
例如：她们 在 家 吃饭 呢。 D

nǐ nǚér hěn piàoliang .
26. 你 女儿 很 漂 亮 。

Zhège dōngxi shì nǐ de ma ?
27. 这个 东西 是 你的 吗 ?

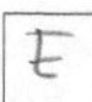

Zuótiān wǒ qù shāngdiàn mǎi yīfu le .
28. 昨 天 我 去 商 店 买 衣服 了。

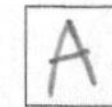

Píngguǒ hěn hǎochī .
29. 苹 果 很 好吃。

Wǒ xǐhuan hē chá , nǐ ne ?
30. 我 喜欢 喝 茶， 你呢 ?

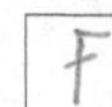

第三部分

第 31 – 35 题

Nǐ de diànhuà shì duōshao ? 例如：你的 电 话 是 多 少 ？	D	yuè rì . A 8月6日。
Xièxie nǐ lái kàn wǒ . 31. 谢谢 你来 看 我。	B	Bú kèqi . B 不客气。
Nǐ hòumian shì shéi ? 32. 你 后 面 是 谁 ？	E	Wǒ zhù hào . C 我 住 103 号。
Nǐ jǐ yuè jǐ rì de fēijī qù Běijīng ? 33. 你几月几日的飞机去北京？	A	D 83631389。
Nǐmen xuéxiào de xuésheng duō ma ? 34. 你们 学 校 的 学 生 多 吗？	F	Shì wǒ bàba . E 是我爸爸。
Nǐ zhù jǐ hào ? 35. 你 住 几 号 ？	C	Hěn duō . F 很 多。

第四部分

第 36 – 40 题

duìbuqǐ	Hànyǔ	yǒu	shíhou	gōngzuò	gāoxìng
A 对不起	B 汉语	C 有	D 时候	E 工作	F 高兴

Nǐ zuò shénme
例如：你 做 什 么（ E ）？

Hěn rènshi nǐ .
36. 很（ F ）认识你。

Wǒ hěn xǐhuan xué .
37. 我 很 喜欢 学（ B ）。

Nǐ nǚ'ér ma?
38. 你（ C ）女儿 吗？

wǒ bù néng hé nǐ chīfàn le .
39. 男：（ A ）我 不 能 和 你 吃饭 了。

Méi guānxi .
女：没 关系。

Nǐ shénme qù yīyuàn?
40. 女：你 什 么（ D ）去 医院？

Míngtiān .
男：明 天。

听力材料

（音乐，30 秒，渐弱）

大家好！欢迎参加 HSK（一级）考试。
大家好！欢迎参加 HSK（一级）考试。
大家好！欢迎参加 HSK（一级）考试。

HSK（一级）听力考试分四部分，共 20 题。
请大家注意，听力考试现在开始。

第一部分

一共 5 个题，每题听两次。

例如：kàn diànshì
看电视

dǎ diànhuà
打电话

现在开始第 1 题：

1. sān ge píngguǒ
三个苹果
2. xiě zì
写字
3. chīfàn
吃饭
4. hěn rè
很热
5. zài yīyuàn
在医院

第二部分

一共 5 个题，每题听两次。

Wǒ bàba shì Zhōngguórén.
例如：我爸爸是中国人。

现在开始第 6 题：

Nà shì gǒu.
6. 那是狗。

Tā zài mǎi yīfu.
7. 她在买衣服。

Tā shì wǒ de péngyou, tā shì ge lǎoshī.
8. 她是我的朋友，她是个老师。

Wǒ xǐhuan zuò huǒchē qù Běijīng.
9. 我喜欢坐火车去北京。

Zhège zhuōzi shì wǒ zuótiān zài nǐmen xuéxiào shāngdiàn mǎi de.
10. 这个桌子是我昨天在你们学校商店买的。

第三部分

一共 5 个题，每题听两次。

Nà zhī xiǎo māo shì nǐ jiā de ma?
例如：女：那只小猫是你家的吗？

Nà zhī xiǎo māo shì wǒ jiā de.
男：那只小猫是我家的。

现在开始第 11 题：

Nǐ xiǎng chī shénme shuǐguǒ?
11. 男：你想吃什么水果？

Wǒ xiǎng chī píngguǒ.
女：我想吃苹果。

Nǐ zuò shénme gōngzuò?
12. 女：你做什么工作？

Wǒ shì yīsheng.
男：我是医生。

Nǐ nǚ'ér jǐ suì le?
13. 女：你女儿几岁了？
Sān suì le, tīng tā jiào wǒ "bàba", wǒ hěn gāoxìng.
男：三岁了，听她叫我"爸爸"，我很高兴。

Jīntiān tiānqì zěnmeyàng?
14. 男：今天天气怎么样？
Jīntiān méiyǒu yǔ, tiānqì hěn hǎo.
女：今天没有雨，天气很好。

Xiànzài jǐ diǎn?
15. 男：现在几点？
Xiànzài bā diǎn.
女：现在八点。

第四部分

一共5个题，每题听两次。

Xiàwǔ wǒ qù shāngdiàn mǎi yīfu, bù mǎi bēizi.
例如：下午我去商店买衣服，不买杯子。

Tā xiàwǔ qù shāngdiàn mǎi shénme?
问：她下午去商店买什么？

现在开始第16题：

Māo hé gǒu wǒ dōu xǐhuan.
16. 猫和狗我都喜欢。
Tā xǐhuan shénme?
问：他喜欢什么？

Jīntiān yǔ bú dà, zuótiān méi xiàyǔ.
17. 今天雨不大，昨天没下雨。
Jīntiān tiānqì zěnmeyàng?
问：今天天气怎么样？

Wǒ de bàba huì kāichē, wǒ yě xiǎng xué kāichē.
18. 我的爸爸会开车，我也（**yě** too）想学开车。
Tā xiǎng xué shénme?
问：他想学什么？

Wǒ xiànzài méiyǒu zhù zài xuéxiào, zhù zài wǒ péngyou jiā li .
19. 我 现在 没有 住在 学校，住在 我 朋 友 家里。

Tā xiànzài zhù zài nǎr ?
问：他 现在 住在 哪儿？

Yǐzi shang yǒu yì běn shū, zhuōzi shang yǒu yí ge diànnǎo .
20. 椅子 上 有 一 本 书，桌子 上 有 一 个 电 脑。

Zhuōzi shang yǒu shénme?
问：桌子 上 有 什 么？

听力考试现在结束。

《HSK 规范教程》1 级答案

第 1 课

1. 听力：
(1) ①✓ ②×
(2) ①B ②B
(3) ①A ②B
(4) ①A ②A
2. 阅读：
(1) ①× ②×
(2) ①B ②A
(3) ①A ②B
(4) ①A ②B

第 2 课

1. 听力：
(1) ①✓ ②×
(2) ①A ②C
(3) ①A ②B
(4) ①B ②B
2. 阅读：
(1) ①✓ ②×
(2) ①A ②B
(3) ①B ②A
(4) ①A ②B

第 3 课

1. 听力：
(1) ①✓ ②×
(2) ①C ②B
(3) ①B ②A
(4) ①A ②B
2. 阅读：
(1) ①✓ ②✓
(2) ①A ②B
(3) ①A ②B
(4) ①A ②B

第 4 课

1. 听力：
(1) ①✓ ②×
(2) ①A ②A
(3) ①A ②B
(4) ①A ②B
2. 阅读：
(1) ①✓ ②×
(2) ①A ②B
(3) ①A ②B
(4) ①A ②B

第 5 课

1. 听力：
(1) ①× ②✓
(2) ①A ②B
(3) ①A ②B
(4) ①A ②A
2. 阅读：
(1) ①✓ ②×
(2) ①A ②B
(3) ①B ②A
(4) ①A ②B

第 6 课

1. 听力：
(1) ①✓ ②×
(2) ①A ②A
(3) ①B ②A
(4) ①A ②B
2. 阅读：
(1) ①✓ ②×
(2) ①A ②B
(3) ①B ②A
(4) ①A ②B

第 7 课

1. 听力：
(1) ①× ②✓
(2) ①B ②C
(3) ①B ②A
(4) ①A ②A
2. 阅读：
(1) ①× ②×
(2) ①A ②B

(3) ①B ②A

(4) ①A ②B

第8课

1. 听力：

(1) ①× ②×

(2) ①C ②A

(3) ①B ②A

(4) ①B ②A

2. 阅读：

(1) ①× ②×

(2) ①B ②A

(3) ①A ②B

(4) ①A ②B

第9课

1. 听力：

(1) ①✓ ②×

(2) ①C ②A

(3) ①A ②B

(4) ①A ②A

2. 阅读：

(1) ①✓ ②×

(2) ①A ②B

(3) ①A ②B

(4) ①B ②A

第10课

1. 听力：

(1) ①× ②✓

(2) ①B ②A

(3) ①A ②B

(4) ①B ②A

2. 阅读：

(1) ①✓ ②×

(2) ①A ②B

(3) ①A ②B

(4) ①A ②B

新汉语水平考试 HSK（一级）模拟题答案

一、听力

第一部分

1. ×　　2. ×　　3. √　　4. √　　5. ×

第二部分

6.C　　7.C　　8.B　　9.C　　10.C

第三部分

11.E　　12.F　　13.B　　14.C　　15.A

第四部分

16.C　　17.A　　18.C　　19.C　　20.C

二、阅　读

第一部分

21. √　　22. ×　　23. √　　24. ×　　25. √

第二部分

26.B　　27.E　　28.A　　29.C　　30.F

第三部分

31.B　　32.E　　33.A　　34.F　　35.C

第四部分

36.F　　37.B　　38.C　　39.A　　40.D

责任编辑：史文华
英文编辑：韩芙芸　张　乐
设　　计：Daniel Gutierrez
插　　图：臧艺迪

图书在版编目（CIP）数据

HSK 规范教程 . 一级 / 王瑀编著 . -- 北京 : 华语教学出版社 , 2014.9
ISBN 978-7-5138-0792-0

Ⅰ . ① H… Ⅱ . ①王… Ⅲ . ①汉语 – 对外汉语教学 – 水平考试 – 教材 Ⅳ . ① H195.4

中国版本图书馆 CIP 数据核字 (2014) 第 224187 号

HSK规范教程（一级）
王瑀　编著
*

华语教学出版社有限责任公司出版
（中国北京百万庄大街24号　邮政编码100037）
电话: (86)10-68320585, 68997826
传真: (86)10-68997826, 68326333
网址：www.sinolingua.com.cn
电子信箱：hyjx@sinolingua.com.cn
新浪微博地址：http://weibo.com/sinolinguavip
北京京华虎彩印刷有限公司印刷
2015年（16开）第1版
2018年第2版第3次印刷
ISBN 978-7-5138-0792-0
定价：49.00 元